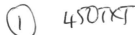

Nic

CW00348300

IO NON
HO PAURA

A cura di: Lisbeth Thybo
Illustrazioni: Karen Borch

EDIZIONE SEMPLIFICATA AD USO
SCOLASTICO E AUTODIDATTICO

Le strutture ed i vocaboli usati in questa edi-
zione sono tra i più comuni della lingua ita-
liana e sono stati scelti in base ad una com-
parazione tra le seguenti opere: Bartolini,
Tagliavini, Zampolli – Lessico di frequenza
della lingua italiana comtemporanea. Con-
siglio D'Europa – Livello soglia, Brambilla e
Crotti – Buongiorno! (Klett), Das VHS
Zertifikat, Cremona e altri – Buongiorno
Italia! (BBC), Katerinov e Boriosi Katerinov
– Lingua e vita d'Italia (Ed. Scol. Bruno
Mondadori).

Redatore: Ulla Malmmose

Design della copertina: Mette Plesner
Fotografia: Scanpix/Innocenti/ImageSource RF

Easy Readers

EGMONT

Stampato in Danimarca

Questo libro è dedicato a mia sorella Luisa,
che mi ha seguito sulla Nera
con la sua stelletta d'argento
appuntata sulla giacca.

Questo solo capì. Di essere caduto nella *tenebra*.
E nell'istante in cui seppe, cessò di sapere.

Jack London

1.

Quell'anno il grano era alto. Ogni cosa era coperta di grano. Le colline, basse, si *susseguivano* come onde. Fino in fondo all'*orizzonte* grano, cielo, *grilli*, sole e caldo.

grillo

Quella maledetta estate del 1978 è rimasta famosa come una delle più calde del secolo. Il *calore* entrava 5
nelle pietre, bruciava le piante e uccideva le bestie. Il sole ti levava il *respiro*, la forza, la voglia di giocare, tutto.

Ad Acqua Traverse gli *adulti* non uscivano di casa prima delle sei di sera. Solo noi ci *avventuravamo* nella 10
campagna *rovente* e abbandonata.

Mia sorella Maria aveva cinque anni e mi seguiva con *ostinazione*.

"Voglio fare quello che fai tu", diceva sempre. Mamma le dava ragione. 15

"Sei o non sei il fratello maggiore?" E mi toccava portarmela dietro.

---

susseguirsi, seguire o venire a breve distanza l'uno dall'altro
orizzonte, la linea in lontananza dove sembra che la terra o il mare si uniscano con il cielo
calore, temperatura alta
respiro, il respirare
adulto, persona grande d'età
avventurarsi, mettersi in un'avventura
rovente, che è molto caldo
ostinazione, insistenza

Nessuno si era fermato ad aiutarla.
Normale, era una gara.

- Dritti, su per la collina. Niente curve. È vietato stare uno dietro l'altro. È vietato fermarsi. Chi arriva ulti-
5 mo paga *penitenza* - aveva deciso il *Teschio* e mi aveva
concesso: - Va bene, tua sorella non *gareggia*. È troppo
piccola.

Teschio

- Non sono troppo piccola! – aveva protestato Maria
- Voglio fare anch'io la gara! – E poi era caduta.
10 Peccato, ero terzo.
Primo era Antonio. Come sempre.
Antonio Natale, detto il Teschio. Perché lo chiamavamo il Teschio non me lo ricordo. Il Teschio era il più
grande della *banda*. Dodici anni. Ed era il capo. Gli pia-
15 ceva comandare e se non ubbidivi diventava cattivo.
Non era una *cima*, ma era grosso, forte e *coraggioso*.
Secondo era Salvatore.
Salvatore Scardaccione aveva nove anni, la mia stessa età. Eravamo in classe insieme. Era il mio migliore
20 amico. Salvatore era più alto di me. Era un ragazzino
solitario. A volte veniva con noi ma spesso se ne stava

penitenza, quello che deve pagare chi perde una gara.
gareggiare, partecipare a una gara.
banda, gruppo
cima, qui: l'essere intelligente
coraggioso, chi ha coraggio
solitario, solo

6

per i fatti suoi. Era più sveglio del Teschio, ma non gli interessava diventare capo. Il padre, l'avvocato Emilio Scardaccione, era una persona importante a Roma. E aveva un sacco di soldi in Svizzera. Questo si diceva.

Poi c'ero io, Michele. Michele Amitrano. E anche quella volta ero terzo, stavo salendo bene, ma per colpa di mia sorella adesso sono fermo.

Stavo decidendo se tornare indietro o lasciarla là, quando mi sono trovato quarto. Remo Marzano mi aveva superato. E se non mi rimettevo subito ad *arrampicarmi*, mi *sorpassava* pure Barbara Mura.

Sarebbe stato orribile. Sorpassato da una femmina.

Barbara saliva a quattro zampe. Tutta sudata e coperta di terra.

- Che fai, non vai dalla sorellina? Non l'hai sentita? Si è fatta male, poverina - Per una volta non sarebbe toccata a lei la penitenza.

- Ci vado, ci vado… E ti batto pure -. Non potevo dargliela vinta così.

Non la vedevo. – Maria! Maria! Dove stai?

- Michele…

Eccola. Era lì. Piccola e infelice. Con una mano *si massaggiava* una *caviglia* e con l'altra si teneva gli occhiali.

- Michele…?

- Maria, mi hai fatto perdere la gara! Te l'avevo detto di non venire. - Mi sono seduto. - - Che ti sei fatta?

arrampicarsi, salire con fatica su qualcosa
sorpassare, superare
massaggiarsi, lavorare con insistenza con la mano su una parte del corpo per fare sparire il dolore
caviglia, vedi illustrazione, pag. 8

caviglia

- Sono *inciampata*.. Mi sono fatta male al piede e…gli occhiali! Gli occhiali si sono rotti!

Si erano *spezzati* al centro. Erano da buttare.

Mia sorella intanto continuava a piangere.

- Mamma… Si arrabbia… Come si fa?   5

- E come si fa? Ci mettiamo lo scotch. Alzati, su.

- Sono brutti con lo scotch. Sono bruttissimi. Non mi piacciono.

Mi sono infilato gli occhiali in tasca. Senza, Maria non ci vedeva, aveva gli occhi *storti* e il medico aveva 10 detto che si sarebbe dovuta operare prima di diventare grande. – Non fa niente. Alzati.

Ha smesso di piangere e ha cominciato a tirare su con il naso. – Mi fa male il piede.

- Dove ti fa male?   15

- Qua -. Mi ha mostrato la caviglia.

- Non è niente. Passa subito. Ora va meglio?

- Un po'. Torniamo a casa? Ho sete da morire. E mamma…

Aveva ragione. Ci eravamo allontanati troppo. E da 20 troppo tempo. L'ora di pranzo era passata da un pezzo e mamma doveva stare di *vedetta* alla finestra.

Lo vedevo male il ritorno a casa.

Quella mattina avevamo preso le biciclette.

Di solito facevamo dei giri piccoli, intorno alle case, 25 ai bordi dei campi, al *torrente* secco e tornavamo indietro facendo le gare.

---

inciampare, cadere perché il piede sbatte in un oggetto
spezzarsi, rompere in più pezzi
storto, contrario di dritto, qui: che vede doppio
vedetta, guardia
torrente, piccolo fiume

9

La mia bicicletta era un ferro vecchio e così alta che dovevo piegarmi tutto per toccare a terra.

Tutti la chiamavano la Scassona. Ma a me piaceva, era quella di mio padre.

5 Se non andavamo in bicicletta ce ne stavamo in strada a giocare a pallone o a non fare niente.

Il tempo scorreva lento. A fine estate non vedevamo l'ora che ricominciasse la scuola.

Quella mattina avevamo attaccato a parlare dei 10 *maiali* di Melichetti.

maiale

bassotto

Si parlava spesso, tra noi, dei maiali di Melichetti.

Il Teschio ha *sputato*. – Finora non ve l'ho raccontato. Perché non lo potevo dire. Ma ora ve lo dico: quei maiali si sono mangiati il *bassotto* della figlia di Meli- 15 chetti.

- No, non è vero!

- È vero. Ve lo giuro sul cuore della Madonna. Vivo. Completamente vivo.

- È impossibile!

20 Che razza di bestie dovevano essere per mangiarsi pure un cane di razza?

sputare, gettare fuori dalla bocca saliva od altro

10

Il Teschio ha fatto di sì con la testa. – Melichetti glielo ha lanciato dentro il *recinto*.

Barbara gli ha chiesto: - E perché glielo ha lanciato? Il Teschio ci ha pensato un po'. - Ha pisciato in casa. Maria si è messa in piedi. – È pazzo Melichetti? 5

Il Teschio ha sputato di nuovo a terra. – Più pazzo dei suoi maiali.

Siamo rimasti zitti a immaginarci la figlia di Melichetti con un padre così cattivo.

- Possiamo andarli a vedere! – me ne sono uscito. 10

- Una *spedizione*! - ha fatto Barbara.

- È lontanissima la *fattoria* di Melichetti. Ci mettiamo un *sacco*, - ha *brontolato* Salvatore.

- E invece è vicinissima, andiamo… - Il Teschio è montato sulla bicicletta. E siamo partiti tutti e sei per 15 andare a vedere questi famosi maiali di Melichetti e abbiamo *pedalato* tra i campi di grano.

Melichetti se ne stava con gli occhiali da sole seduto su un vecchio *dondolo*, sotto un *ombrellone* storto.

La fattoria cadeva a pezzi e il tetto era stato riparato 20 alla meglio. Nel cortile ci stava un *mucchio* di roba buttata. Su un *palo* di legno erano appesi dei teschi di mucca consumati dalla pioggia e dal sole. Un cane pelle e ossa abbaiava alla catena.

recinto, spazio chiuso
spedizione, qui: viaggio per andare a scoprire qualcosa
fattoria, casa di campagna con campi e animali
sacco, qui: molto tempo
brontolare, lamentarsi a voce bassa
pedalare, andare in bicicletta muovendo i pedali con i piedi
dondolo, vedi illustrazione, pag. 12
ombrellone, vedi illustrazione, pag. 12
mucchio, un sacco di…
palo, vedi illustrazione, pag. 12

ombrellone

dondolo

baracca

palo

gravina

12

In fondo c'erano delle *baracche* e i recinti dei maiali, sopra una *gravina*.

Melichetti ci ha visti arrivare sulle nostre biciclette, ma non si è mosso.

Il Teschio si è fatto avanti. – Signore, abbiamo sete. Ce l'avrebbe un po' d'acqua?

Ero preoccupato perché uno come Melichetti ti poteva sparare, gettarti ai maiali.

Il vecchio ha *sollevato* gli occhiali. – Che ci fate qui, ragazzini? Non siete un po' troppo lontani da casa?

- Signor Melichetti, è vero che ha dato da mangiare ai maiali il suo bassotto? – se ne è uscita Barbara.

Mi sono sentito morire. Salvatore le ha tirato un calcio.

Melichetti si è messo a ridere: - Chi ti racconta queste *fesserie*, ragazzina?

- Era un cane educato. Pace all'anima sua -. Ha indicato il *fontanile*. – Se avete sete laggiù c'è l'acqua. La migliore di tutta la regione. E non è una fesseria.

Abbiamo bevuto fino a scoppiare. Era fresca e buona. Il Teschio ha cominciato a dire che Melichetti era un *pezzo di merda*. E sapeva per certo che quel vecchio scemo aveva dato il bassotto da mangiare ai maiali.

Dopo qualche minuto il Teschio è tornato.

- Guardate! Guardate! Guardate com'è grossa!

Ci siamo voltati. – Cosa?

- Quella.

Era una collina.

---

sollevare, alzare
fesseria, cosa stupida
fontanile, luogo dove si raccoglie l'acqua per animali
pezzo di merda, qui: un uomo da niente

13

Sembrava un *panettone*. Si sollevava davanti a noi a un paio di chilometri . *Dorata* e immensa. Il grano la copriva.

- *Scaliamola* - . Il Teschio l'ha indicata. – Scaliamo quella montagna.

Ho detto: - Chissà cosa ci sarà lassù.

Doveva essere un posto incredibile, magari ci viveva qualche animale strano. Così in alto nessuno di noi era mai salito.

Salvatore si è riparato gli occhi con la mano e ha *scrutato* la cima. – Ci scommetto che da là sopra si vede il mare. Sí, la dobbiamo scalare.

- E ci mettiamo la nostra bandiera. Così se qualcuno ci salirà, capirà che siamo arrivati prima noi, - ho fatto io.

Siamo rimasti senza parole.

Una gara! Perché?

Era chiaro. Per *vendicarsi* di Barbara. Sarebbe arrivata ultima e avrebbe pagato.

Ho pensato a mia sorella. Ho detto che era troppo piccola per gareggiare.

Barbara ha fatto di no con il dito. Aveva capito la sorpresa che le stava preparando il Teschio.

- Che c'entra? Una gara è una gara. È venuta con noi. Sennò ci deve aspettare giú.

Questo non si poteva fare. Non potevo lasciare Maria. Melichetti era stato gentile, ma non bisognava

---

panettone, dolce a forma di cupola, che si mangia a Natale
dorato, che ha il colore dell'oro
scalare, salire
scrutare, guardare con attenzione
vendicarsi, restituire per vendetta qualcosa a qualcuno

fidarsi troppo. Se l'ammazzava, io poi che raccontavo a mamma?

- Se mia sorella resta, resto anch'io.

Ci si è messa pure Maria. – Non sono piccola! Voglio fare la gara.

- Tu stai zitta!

Ci ha pensato il Teschio a risolvere. Poteva venire, ma non gareggiava.

Abbiamo buttato le biciclette dietro il fontanile e siamo partiti.

Ecco perché mi trovavo sopra quella collina.

Ho rimesso la scarpa a Maria.

- Ce la fai a camminare?

- No. Mi fa troppo male.

- Aspetta -. Le ho *soffiato* due volte sulla gamba. – Va meglio?

Si è pulita il naso con un braccio. – Un po'.

- Ce la fai a camminare?

- Sí.

L'ho presa per mano. – Allora andiamo, forza, che siamo ultimi.

Ci siamo avviati verso la cima.

Ho guardato l'orizzonte. Il mare non si vedeva. Si vedevano però le altre colline, piú basse, e la fattoria di Melichetti con i suoi recinti per i maiali e la gravina e si vedeva la strada bianca che tagliava i campi, quella lunga strada che avevamo *percorso* in bicicletta per arrivare fino a lì. E, piccola piccola, si vedeva la *frazione*

---

soffiare, spingere aria fuori dalla bocca.
percorrere, attraversare
frazione, piccola parte con poche case di un comune

dove abitavamo. Acqua Traverse. Quattro casette e una vecchia villa di campagna. Lucignano, il paese vicino, era nascosto dalla nebbia.

Mia sorella ha detto: - Voglio guardare pure io. Fammi guardare.

Me la sono messa sulle spalle, anche se non mi reggevo in piedi dalla fatica. Chissà cosa vedeva senza occhiali.

- Dove stanno gli altri?

Siamo andati avanti e dopo aver superato la *spina dorsale* della collina abbiamo cominciato a scendere.

Dove diavolo erano andati gli altri? Perché erano scesi da quella parte?

Abbiamo fatto un'altra ventina di metri e lo abbiamo scoperto.

La collina si allungava fino a unirsi alla pianura. In mezzo c'era una valle stretta, *invisibile* se non da là sopra o da un aeroplano.

Al riparo dal vento e dal sole ci stava un *boschetto*. E una casa abbandonata spuntava tra le *fronde* verdi.

Siamo scesi giù e siamo entrati nella valletta.

Era l'ultima cosa che mi sarei aspettato. Alberi. Ombra. Fresco. Si sentivano gli uccelli. E un buon odore. Veniva voglia di farsi un sonno.

Salvatore è apparso all'improvviso, – Hai visto? Forte!

- Fortissimo! – ho risposto guardandomi in giro.

- Perché ci hai messo tanto? Pensavo che eri tornato giù.

---

spina dorsale, qui: la cima
invisibile, che non si vede
boschetto, piccolo bosco
fronda, tutte le foglie e i rami di un albero

16

- No, è che mia sorella aveva male a un piede, cosí... Ho sete. Devo bere.

Salvatore ha tirato fuori dallo zaino una bottiglia. – Ne è rimasta poca -.

Con Maria ce la siamo divisa da bravi fratelli.

- Chi ha vinto la gara? – Mi preoccupavo per la penitenza. Ero stanco morto. Speravo che il Teschio, per una volta, me la potesse spostare a un altro giorno.

- Il Teschio.

- E tu?

- Secondo. Poi Remo.

- Barbara?

- Ultima. Come al solito.

Ci siamo *incamminati* verso la casa.

Si reggeva in piedi per *scommessa*. *Sorgeva* al centro di uno *spiazzo* di terra coperto dai rami degli alberi. *Crepe* profonde l'attraversavano dalle *fondamenta* fino al tetto. Un *fico* era cresciuto sopra le scale che portavano al balcone. Sopra c'era ancora una vecchia porta colorata d'azzurro. Al centro della costruzione un grande arco si apriva su una stanza. Una stalla.

Il Teschio era seduto su un cassone dell'acqua e ci osservava. – Ce l'hai fatta, - e ha aggiunto per precisione: - Questo posto è mio.

- Come è tuo?

incamminarsi, avviarsi
scommessa, impresa difficile, rischio
sorgere, alzarsi
spiazzo, spazio libero e aperto
crepa, apertura stretta
fondamento, base
fico, vedere illustrazione, pag. 18

tegola

fico

- È mio. Io l'ho visto per primo. Le cose sono di chi le trova per primo.

Arrivare al piano di sopra della casa non è stato semplice. La scala non esisteva più. Riuscivo a salire *aggrap-*
5 *pandomi* ai rami del fico.
- Devi salire al primo piano. Entrare. Attraversare tutta la casa e dalla finestra in fondo saltare sull'albero e scendere.
Stringevo i denti e avanzavo senza lamentarmi. Gli
10 altri stavano seduti sotto un albero a godersi lo spetta-

aggrapparsi, tenersi forte con le mani

colo di Michele Amitrano.

Ogni tanto arrivava un consiglio. – Passa di là. –
Devi andare dritto.

Non li stavo a sentire.

Ero sul terrazzino. C'era uno spazio stretto. Mi ci
sono infilato dentro e sono arrivato alla porta. Ho spinto e la porta si è *spalancata*.

- Com'è? Com'è dentro? – ho sentito che domanda-
va il Teschio.

Non mi sono dato pena di rispondergli. Sono entrato, attento a dove mettevo i piedi.

Ero in una grande stanza. Molte *tegole* erano cadute.
Una vecchia cucina rovesciata. Bottiglie. Tegole. E c'e-
ra un odore forte. Sopra il pavimento era cresciuta una
selva di piante. In fondo alla stanza c'era una porta
dipinta di rosso, chiusa, che di sicuro dava sulle altre
stanze della casa.

Dovevo passare di lì.

Per arrivare alla porta era più *prudente* camminare
lungo i muri. Se il pavimento si *sfondava* finivo nella
stalla, dopo un volo di almeno quattro metri.

Ma non è accaduto.

Nella stanza dopo, grande più o meno come la cucina,
il pavimento mancava del tutto e ora solo una specie di
ponte univa la mia porta con quella dall'altra parte.

Non potevo seguire i muri. Mi toccava attraversare
quel ponte. Non potevo tornare indietro. E se mi but-
tavo di sotto? All'improvviso quei quattro metri che mi

spalancarsi, aprirsi del tutto.
selva, bosco
prudente, che cerca di evitare pericoli
sfondarsi, rompersi

dividevano dalla stalla non sembravano piú tanti. Potevo dire agli altri che era impossibile arrivare alla finestra.

In certi momenti il cervello gioca brutti scherzi.

5 Volevo buttarmi. Poi mi sono ricordato di aver letto su un libro di Salvatore che le *lucertole* possono salire sui muri perché hanno una perfetta distribuzione del peso.

Ecco, cosa dovevo fare.

10 Mi sono steso e ho cominciato a *strisciare*. Leggero, leggero come una lucertola, mi ripetevo. Ci ho messo cinque minuti buoni ma sono arrivato sano e salvo dall'altra parte.

lucertola

materasso

Ho spinto la porta. Era l'ultima. In fondo c'era la finestra che dava sul cortile. Un lungo ramo *s'insinuava*
15 fino alla casa. Era fatta. Anche qui il pavimento aveva ceduto, ma solo per metà. L'altra resisteva. Sotto vedevo una stanza. C'erano i resti di un fuoco, dei *barattoli* aperti e pacchi di pasta vuoti. Qualcuno doveva essere stato lì da non molto tempo.

20 Sono arrivato alla finestra. Ho guardato giù.

C'era un piccolo cortile. A terra c'era un *materasso*.

strisciare, muoversi lentamente per terra a zig zag
insinuarsi, entrare in uno spazio stretto
barattolo, scatola, contenitore per cibi

20

Il ramo su cui dovevo salire era vicino, a meno di un metro. Non abbastanza però, da poterci arrivare senza fare un salto. Era grosso. Si allungava per più di cinque metri. Mi avrebbe sostenuto. Arrivato in fondo avrei trovato il modo di scendere. 5

Mi sono fatto il segno della croce e mi sono lanciato a braccia in avanti. Sono finito di pancia sul ramo, ho provato a abbracciarlo, ma era grande. Ho cominciato a *scivolare*.

Un ramo più piccolo stava lì a qualche decina di cen- 10
trimetri.

L'ho *afferrato* con tutte e due le mani.

Era secco. Si è spezzato.

Sono *atterrato* di schiena. Sono rimasto a occhi chiusi, sicuro di essermi rotto l'osso del collo. Non sentivo 15
dolore. Me ne stavo steso con il ramo tra le mani, cercando di capire perché non soffrivo.

Ho aperto gli occhi. Dovevo cercare di sollevare la
testa. L'ho sollevata.

Ho buttato quel ramo cretino. Ho toccato con le 20
mani la terra. E ho scoperto di essere su una cosa *soffice*. Il materasso.

Mi sono rivisto che precipitavo. C'era stato un rumore nel momento esatto in cui ero atterrato. Lo avevo
sentito, potevo giurarci. 25

Ho mosso i piedi e ho scoperto che sotto le foglie e
la terra c'era un *ondulato* verde, una *tettoia* di plastica.

---

scivolare, cadere p.es. su una strada bagnata
afferrare, prendere e tenere stretto con le mani
atterrare, arrivare in terra
soffice, morbido, che si piega e cede facilmente, contrario di duro
ondulato, superficie a forma di piccole onde
tettoia, copertura a forma di tetto

Era stata ricoperta come per nasconderla. E quel materasso ci era stato *poggiato* sopra.

Era stato l'ondulato a salvarmi.

Quindi, sotto, doveva essere vuoto.

5 Ho spinto in avanti la *lastra*.

Pesava, ma piano piano, l'ho spostata.

Ero caduto sopra un *buco*.

Era buio. Le pareti erano fatte di terra. Sono riuscito
a spingerla ancora un po'. Il buco era largo un paio di
10 metri e profondo due metri, due metri e mezzo.

Era vuoto.

No, c'era qualcosa.

Un animale? Un cane? No…

Cos'era?

15 Era senza peli…

bianco…

Una gamba…

Ho fatto un salto indietro e per poco non sono
inciampato.

20 Una gamba?

Ho preso fiato e mi sono affacciato un istante.

Era una gamba.

Ho sentito la testa e le braccia che mi pesavano. Mi
sono seduto, ho chiuso gli occhi, ho poggiato la fronte
25 su una mano, ho respirato. Avevo la *tentazione* di scappare, di correre dagli altri. Ma non potevo. Dovevo prima guardare un'altra volta.

Mi sono avvicinato.

poggiare, appoggiare
lastra, sottile tavola, p.es. di plastica
buco, apertura profonda
tentazione, desiderio

22

Era la gamba di un bambino.

In fondo a quel buco c'era un bambino.

Era steso su un fianco.

Aveva la testa nascosta tra le gambe.

Non si muoveva. 5

Era morto.

Sono rimasto a guardarlo per non so quanto tempo.

Forse dormiva.

Ho preso un *sasso* e gliel'ho tirato. L'ho colpito. Non si è mosso. Era morto. Mortissimo. Ho preso un altro 10 sasso e l'ho colpito sul collo. Ho avuto l'impressione che si muovesse. Un leggero movimento del braccio.

- Dove stai? Dove stai?

Gli altri! Il Teschio mi stava chiamando.

Ho afferrato la lastra e l'ho tirata fino a chiudere il 15 buco. Poi ci ho rimesso su il materasso.

- Dove stai, Michele?

Sono andato via, ma prima mi sono girato un paio di volte a controllare che ogni cosa fosse al suo posto.

Pensavo al bambino nel buco. 20

Non avrei detto niente a nessuno.

- Le cose sono di chi le trova per primo, - aveva deciso il Teschio.

Se era così, il bambino in fondo al buco era mio.

Se lo dicevo, il Teschio, come sempre, si prendeva 25 tutto il merito della scoperta. Avrebbe raccontato a tutti che lo aveva trovato lui perché era stato lui a decidere di salire sopra la collina.

Questa volta no. Io ero caduto dall'albero e io l'avevo trovato. 30

| *sasso*, piccola pietra

23

Non era del Teschio. E neanche di Barbara. Non era di Salvatore. Era mio. Era la mia scoperta segreta.

Non sapevo se avevo trovato un morto o un vivo. Forse il braccio non si era mosso. Me l'ero immaginato.

Ma che ci faceva là dentro?

- Che diciamo a mamma?

Non mi ero accorto che mia sorella mi pedalava accanto. – Cosa?

- Che diciamo a mamma?

- Non lo so.

- Glielo dici tu degli occhiali?

- Sì, ma non devi dire niente di dove siamo andati. Se lo scopre dirà che gli occhiali li hai rotti perché siamo saliti lassú.

- Va bene.

- Giuramelo.

- Te lo giuro -.

palma

Oggi Acqua Traverse è una frazione di Lucignano.

Nel 1978 Acqua Traverse invece era così piccola che non era niente.

Nessuno sapeva perché quel posto si chiamava così, neanche il vecchio Tronca. Acqua non ce n'era, se non quella che portavano con l'*autocisterna* ogni due settimane.

C'era la villa di Salvatore, che chiamavamo il Palazzo. Un casone costruito nell'Ottocento lungo e grigio e un cortile interno con una *palma*. E c'erano altre quat-

autocisterna, grande macchina che porta acqua

24

tro case. Non per modo di dire. Quattro case in tutto.
Quattro case di pietra con il tetto di tegole e le finestre
piccole. La nostra. Quella della famiglia del Teschio.
Quella della famiglia di Remo che la divideva col vecchio Tronca. Tronca era *sordo* e gli era morta la moglie, 5
e viveva in due stanze che davano sull'orto. E c'era la
casa di Piero Mura, il padre di Barbara. Angela, la
moglie, di sotto aveva lo *spaccio* dove potevi comprare
il pane, la pasta e il sapone. E potevi telefonare.

Due case da una parte, due dall'altra. E una strada al 10
centro. Non c'era una piazza. Tutto intorno i campi di
grano.

L'unica cosa che si era guadagnata quel posto dimen-
ticato da Dio e dagli uomini era un bel *cartello* con scritto ACQUA TRAVERSE. 15

- È arrivato papà! – ha gridato mia sorella. Ha buttato la bicicletta ed è corsa su per le scale.

Davanti a casa nostra c'era il suo *camion*, un Lupetto
Fiat con il *telone* verde.

A quel tempo papà faceva il *camionista* e stava fuori 20
per molte settimane. Prendeva la *merce* e la portava al
Nord.

Sono entrato in casa.

Papà era seduto al tavolo. Aveva davanti una botti-

sordo, chi o che non sente
spaccio, piccolo negozio
cartello, vedi illustrazione, pag. 26-27
camion, vedi illustrazione, pag. 26-27
telone, vedi illustrazione, pag. 26-27
camionista, chi guida il camion
merce, cosa che si vende e si compra

ACQUA
TRAVERSE

glia di vino rosso e tra le *labbra* una sigaretta e mia sorella sulle ginocchia.

Mamma, di spalle, cucinava. C'era odore di sugo di
pomodoro. Il televisore, un Grundig in bianco e nero
5 che aveva portato papà qualche mese prima, era acceso.

- Michele, dove siete stati tutto il giorno? Vostra
madre stava impazzendo. Non pensate a questa pove-
ra donna che deve già aspettare il marito e non può
aspettare pure voi? Che è successo agli occhiali di tua
10 sorella?

Non era arrabbiato veramente. Era felice di essere a
casa.

| *labbra*, la parte della bocca che si apre e si chiude

26

camion   telone

cartello

Mia sorella mi ha guardato.

-Abbiamo costruito una *capanna* ho tirato fuori dalla tasca gli occhiali. – e si sono rotti.

Ha sputato una nuvola di fumo. – Vieni qua. Fammeli vedere.   5

Papà era un uomo piccolo, magro e nervoso. Quando si sedeva alla guida del camion quasi scompariva. Aveva i capelli neri.

Glieli ho dati.

– Sono da buttare -. Li ha poggiati sul tavolo e ha detto. – Niente più occhiali.   10

Io e mia sorella ci siamo guardati.

---

capanna, piccola casa di legno o altro.

27

- E come faccio? – ha chiesto Maria preoccupata.

- Stai senza. Cosí impari.

- Ma…

- Macché ma -. E ha detto a mamma: - Teresa, dammi quel pacchetto che sta lì.

Mamma gliel'ha portato. Papà lo ha aperto e ha tirato fuori un *astuccio* blu, duro.

- Tieni.

Maria lo ha aperto e dentro c'era un paio di occhiali di plastica marrone.

- Provali.

Maria se li è infilati.

Mamma le ha domandato: - Ti piacciono?

- Sí. Molto. La scatola è bellissima, - ed è andata a guardarsi allo specchio.

Papà si è versato un altro bicchiere di vino.

- Se rompi pure questi, la prossima volta ti lascio senza, capito? -

Poi mi ha preso per un braccio. – Mettiti qua -. Mi sono seduto anch'io sulle sue ginocchia e ho provato a baciarlo. – Non mi baciare che sei tutto sporco. Se vuoi baciare tuo padre, prima devi lavarti. Teresa, che facciamo, li mandiamo a letto senza cena?

Papà aveva un bel sorriso, i denti bianchi, perfetti.

Mamma ha risposto senza neanche voltarsi.

- Sarebbe giusto! Io con questi due non ce la faccio piú -. Lei sí che era arrabbiata.

- A chi tocca prendere l'acqua? Tra poco si mangia, - ci ha domandato mamma.

Papà era davanti alla televisone a guardare le notizie.

- Tocca a Maria. Ieri ci sono andato io.

---

astuccio, piccola scatola p.es. dove tenere gli occhiali.

Ha tolto lo sguardo dalla televisione e mi ha guardato come se fosse la prima volta che mi vedeva e ha detto: - Lo conosci il tocco del soldato?

- No. Cos'è?

- Lo sai come facevano i soldati durante la guerra per decidere chi doveva andare?

Ha tirato fuori dalla tasca una scatola di fiammiferi e me l'ha mostrata.

- No, non lo so.

- Si prendono tre fiammiferi, - li ha tirati fuori dalla scatola, - uno per te, uno per me e uno per Maria. A uno si toglie la testa. - Ne ha preso uno e lo ha spezzato, poi li ha stretti tutti e tre nel pugno. - Chi prende quello senza testa va a prendere l'acqua. Scegliene uno, forza.

Ne ho tirato fuori uno sano. Ho fatto un salto di gioia.

- Maria, tocca a te. Vieni.

Mia sorella ne ha preso anche lei uno sano e ha battuto le mani.

- Mi sa che tocca a me, - papà ha tirato fuori quello spezzato.

Io e Maria abbiamo cominciato a ridere e urlare. – Tocca a te! Tocca a te! Hai perso! Hai perso! Vai a prendere l'acqua!

Mi sono svegliato durante la notte. Per un brutto sogno.

Quelle notti faceva così caldo, che se, per disgrazia, ti svegliavi, era difficile riaddormentarti. La stanza mia e di mia sorella era stretta e lunga. I due letti erano messi per lungo, uno dopo l'altro, sotto la finestra. Da un lato c'era il muro, dall'altro una trentina di centimetri per muoverci.

D'inverno ci faceva freddo e d'estate non ci si respirava.

Dietro i miei piedi vedevo la testa di Maria. Dormiva con gli occhiali, a pancia all'aria.

Diceva che se si svegliava senza gli occhiali le veniva paura. Di solito mamma glieli toglieva appena si addor
5 mentava, perché le rimanevano i segni in faccia.

Attaccata alla nostra stanza c'era la camera dei nostri *genitori*. Mi sono messo in ginocchio sul letto e mi sono appoggiato alla finestra per prendere un po' d'aria.

C'era la luna piena. Si vedeva lontano, come fosse
10 giorno. L'aria era ferma. Le case buie, silenziose.

Forse ero l'unico sveglio in tutta Acqua Traverse. Mi è sembrata una bella cosa.

Il bambino era nel buco.

Me lo immaginavo morto nella terra.
15 Io un morto non lo avevo mai visto. Solo mia *nonna* Giovanna.

E se invece il bambino era vivo?

Se voleva uscire e chiedeva aiuto?

Mi sono affacciato fuori e in fondo alla pianura ho
20 visto la collina. Sembrava apparsa dal nulla, come un'isola dal mare, altissima e nera, con il suo segreto che mi aspettava

Sono rimasto a lungo con gli occhi puntati sul soffitto prima di addormentarmi.
25 Papà non ripartiva.

Era tornato per restare. Aveva detto a mamma che non voleva vedere l'autostrada per un po' e si sarebbe occupato di noi.

Forse, prima o poi, ci portava a mare a fare il bagno.

---

genitore, la madre e il padre
nonna, madre della madre o del padre

2.

Quando mi sono svegliato mamma e papà dormivano ancora. Ho buttato giù il latte e il pane, sono uscito e ho preso la bicicletta.

- Dove vai?

Maria era sulle scale di casa, in *mutande*, e mi guardava. 5

- A fare un giro.
- Voglio venire con te.
- No.
- Io so dove vai… Vai sulla montagna. 10
- No. Non ci vado. Se papà o mamma ti chiedono qualcosa digli che sono andato a fare un giro e che torno subito.

strega

orco

Percorrevo la strada che avevamo fatto il pomeriggio prima e non pensavo a niente, pedalavo nella polvere e 15 cercavo di arrivare presto. Ho preso la via dei campi. Avanzavo a fatica, spingendo sui pedali. Piú mi avvicinavo alla casa, piú la collina gialla cresceva di fronte a me, piú un peso mi *schiacciava* il petto, togliendomi il respiro.

E se arrivavo su e c'erano le *streghe* o un *orco*? 20

---

mutande, pantaloni corti e morbidi che si portano sotto il vestito.
schiacciare, premere fortemente

Sapevo che le streghe si riunivano la notte nelle case abbandonate e facevano le feste e se partecipavi diventavi pazzo e gli orchi si mangiavano i bambini.

Non ci dovevo andare lassù. Ma che mi ero impazzito?

Ho girato la bicicletta e mi sono avviato verso casa. Dopo un centinaio di metri ho *frenato*.

Ho nascosto la bicicletta, mi sono infilato nel grano.

Quando sono arrivato nella valle, sono rimasto qualche minuto a riprendere aria.

Ho spiato la casa.

Era silenziosa e tranquilla. Niente sembrava cambiato. Se erano passate le streghe avevano messo tutto a posto.

Mi sono infilato tra le piante e mi sono ritrovato nel cortile.

Nascosto sotto la lastra e il materasso ci stava il buco.

Non me l'ero sognato.

Non riuscivo a vederlo bene. Era buio.

Mi sono *inginocchiato* sul bordo.

- Sei vivo?

Nulla.

- Sei vivo? Mi senti?

Ho aspettato, poi ho preso un sasso e gliel'ho tirato. L'ho colpito su un piede. Su un piede magro e sottile e con le dita nere. Su un piede che non si è mosso di un millimetro.

Era morto. E da lì si sarebbe sollevato solo se Gesù in persona glielo ordinava.

I cani e i gatti morti non mi avevano mai fatto tanta

---

frenare, fermarsi con i freni
inginocchiarsi, mettersi in ginocchio

impressione. Il pelo nasconde la morte. Quel cadavere invece, così bianco, con un braccio buttato da una parte, la testa contro la parete, faceva *ribrezzo*. Non c'era sangue, niente. Solo un corpo senza vita.

Non aveva più niente di umano.   5

Dovevo vedergli la faccia. La faccia è la cosa più importante. Dalla faccia si capisce tutto.

Ma scendere lì dentro mi faceva paura. Sul cortile si affacciava una porticina chiusa a chiave. Ho provato a spingerla, ma resisteva. Sopra la porta c'era una fine-   10 strella. Mi sono arrampicato e, di testa, mi sono infilato dentro.

Mi sono ritrovato nella stanza che avevo visto mentre attraversavo il ponte. C'erano i pacchi di pasta. Bottiglie di birra vuote. I resti di un fuoco. Dei giornali. Un   15 materasso. Ho avuto la sensazione del giorno prima, che lí ci veniva qualcuno. Quella stanza non era abbandonata come il resto della casa.

Ho trovato una corda.

Con questa posso andare giù, ho pensato.   20

L'ho presa e l'ho buttata dalla finestrella e sono uscito.

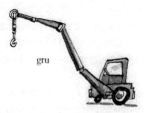

gru

Per terra c'era il braccio di una *gru*. Ci ho legato intorno la corda. Ma avevo paura che si scioglieva e io rimanevo nel buco insieme al morto. Ho fatto tre *nodi*.

ribrezzo, senso di orrore o schifo
nodo, il modo in cui si lega la corda

Ho tirato con tutta la forza, resisteva. Allora l'ho gettata nel buco.

- Io non ho paura di niente, - ho *sussurrato* per farmi
coraggio, ma le gambe mi cedevano e una voce nel cer-
5 vello mi urlava di non andare.

I morti non fanno niente, mi sono detto, mi sono fatto il segno della croce e sono sceso.

Dentro faceva più freddo. La pelle del morto era *sudi-*
10 *cia.* Era alto come me, ma più magro. Era pelle e ossa.
Doveva avere più o meno la mia età.

Gli ho toccato la mano con la punta del piede ma è
rimasta senza vita. Ho sollevato la *coperta* che gli copriva le gambe. Intorno alla caviglia destra aveva una gros-
15 sa catena chiusa con un *lucchetto.* Volevo vedergli la
faccia. Ma non volevo toccargli la testa. Mi faceva
impressione.

lucchetto

Alla fine ho allungato un braccio e ho afferrato con
due dita la coperta e stavo cercando di levargliela dal
20 viso quando il morto ha piegato la gamba.

Ho stretto i pugni e ho spalancato la bocca e il ter-
rore mi ha afferrato.

Poi il morto ha sollevato il busto come fosse vivo e a
occhi chiusi ha allungato le braccia verso di me.

25 Ho cacciato un urlo, ho fatto un salto indietro e sono

sussurrare, dire a bassa voce
sudicio, molto sporco
coperta, pezzo di stoffa p.es. di lana

secchio

inciampato nel *secchio*. Sono finito schiena a terra urlando.

Anche il morto ha cominciato ad urlare.

Poi finalmente con uno *scatto* disperato ho preso la corda e sono *schizzato fuori* da quel buco.

5

Sono salito sulla Scassona e ho ripreso la strada di casa. Mentre pedalavo continuavo a vedere il bambino morto che si sollevava e stendeva le mani verso di me. Quelli occhi chiusi, quella bocca spalancata.

scatto, movimento improvviso, salto
schizzare fuori, scappare via

Ora mi appariva come un sogno.

Era vivo. Aveva fatto finta di essere morto. Perché?

Forse era malato. Forse era un mostro.

Di notte diventava un lupo. Lo tenevano *incatenato*
5 lì perché era pericoloso. Avevo visto alla televisione un
film di un uomo che nelle notti di luna piena si trasfor-
mava in lupo.

"*Piantala* con questi mostri, Michele. I mostri non
esistono. Devi avere paura degli uomini, non dei
10 mostri", mi aveva detto papà un giorno che gli avevo
chiesto se i mostri potevano respirare sott'acqua.

Ma se lo avevano nascosto lì ci doveva essere una
ragione.

Papà mi avrebbe spiegato tutto.

15 - Papà! Papà... - Ho spinto la porta e mi sono precipitato dentro. – Papà! Ti devo dire...- Il resto mi si è
spento tra le labbra.

Stava sulla poltrona, il giornale tra le mani e mi guardava con gli occhi da *rospo*.

rospo

20 Mamma era seduta sul divano a cucire, ha alzato la
testa e l'ha riabbassata.

Papà ha preso aria con il naso e ha detto: - Dove sei
stato tutto il giorno? Ma ti sei visto? Puzzi come un maiale! – Ha guardato l'orologio. – Lo sai che ore sono ?

incatenare, legare con una catena
piantare, smettere

36

- Aspetta, ti devo dire una cosa.

- Tu non mi devi dire niente, devi uscire da quella porta.

- Papà, è una cosa importante…

- Se non te ne vai entro tre secondi, mi alzo da que- 5 sta poltrona e ti prendo a calci fino al cartello di Acqua Traverse -. E improvvisamente ha alzato il tono. - Vattene via!

Ho fatto di sì con la testa. Mi veniva da piangere. Gli occhi mi si sono riempiti di lacrime, ho aperto la porta 10 e ho sceso le scale. Sono rimontato sulla Scassona e ho pedalato fino al torrente.

carrubo

Il lago lo chiamavano. Dentro non c'erano pesci.
Andavamo lí per il *carrubo*. 15

Era grande, vecchio e facile da salire. Sognavamo di costruirci sopra una casa. Con la porta, il tetto, la scala di corda e tutto il resto.

Da qualche tempo però nessuno saliva sul carrubo. A me invece continuava a piacermi. 20

Ci stavo bene lassù all'ombra, nascosto tra le foglie. Si vedeva lontano.

Mi sono arrampicato al mio solito posto, e ho deciso che a casa non sarei più tornato.

Mi sono tolto la maglietta, ho poggiato la schiena 25

37

contro il legno, la testa nelle mani e ho guardato la collina del bambino. Era lontana, in fondo alla pianura, e il sole le *tramontava* accanto.

- Michele, scendi!

5 Mi sono risvegliato e ho aperto gli occhi.

Dov'ero?

Ci ho messo un po' per *rendermi conto* che stavo sul carrubo.

- Michele!

10 Sotto l'albero, sulla Graziella, c'era Maria. – Che vuoi? - Avevo la schiena rotta.

È smontata dalla bicicletta. – Mamma ha detto che devi tornare a casa.

Avevo una fame terribile. – Che ci sta da mangiare?

15 - Il *purè* e l'uovo, - ha detto allontanandosi.

Il purè e l'uovo. Mi piacevano tantissimo tutti e due.

Sono saltato giù dal carrubo. – Vabbe', vengo, solo per stasera però.

A cena nessuno parlava.

20 Sembrava che ci stava il morto in casa. Io e mia sorella mangiavamo seduti a tavola.

Mamma lavava i piatti. – Quando avete finito andate a letto.

Ha chiesto Maria. – E la televisione?

25 - Niente televisione. Tra un po' torna vostro padre e se vi trova alzati sono dolori.

Ho chiesto: - È ancora molto arrabbiato?

- Sì.

---

tramontare, sparire sotto la linea dell'orizzonte, p. es. il sole di sera
rendersi conto, capire
purè, patate bollite e passate

38

- Che ha detto?

- Ha detto che se continui così, il prossimo anno ti porta dai *frati*.

Appena facevo una cosa sbagliata papà mi voleva mandare dai frati.

Salvatore e la madre ogni tanto andavano al *monastero* di san Biagio perché lo zio era frate. Un giorno avevo chiesto a Salvatore come si stava dai frati.

- Di merda, mi aveva risposto. – Stai tutto il giorno a pregare e la sera ti chiudono in una stanza e se ti scappa la pipì non la puoi fare.

Mamma ha detto: - Se ti trova che dormi forse gli passa.

Mamma non sedeva mai a tavola con noi.

Ci serviva e mangiava in piedi. Parlava poco, e stava in piedi. Lei stava sempre in piedi. A cucinare. A lavare. Se non stava in piedi, allora dormiva. Quando era stanca si buttava sul letto e dormiva.

Al tempo di questa storia mamma aveva trentatre anni. Era ancora bella. Aveva lunghi capelli neri che le arrivavano a metà schiena e li teneva sciolti. Aveva due occhi scuri e grandi, una bocca larga, denti forti e bianchi. Era alta, *formosa*, aveva il petto grande, la vita stretta e un sedere che faceva venire voglia di toccarglielo e i fianchi larghi.

Quando andavamo al mercato di Lucignano vedevo come gli uomini le *appiccicavano* gli occhi addosso. Io la tenevo per mano.

frate, uomo che vive in un Ordine religioso in un monastero
monastero, comunità religiosa cattolica di frati, monaci.
formoso, pieno di forme
appiccicare, attaccare

È mia, lasciatela in pace, avrei voluto urlare.

- Teresa, tu mi fai venire i cattivi pensieri, - le diceva Severino, quello che portava l'autocisterna.

A mamma queste cose non interessavano. Non le vedeva.

Dall'*afa* non si respirava. Eravamo a letto. Al buio. Ho provato a dormire, ma non avevo sonno, mi rigiravo nel letto.

Mi sono affacciato alla finestra. La luna non era più una palla perfetta e c'erano stelle da tutte le parti. Quella notte il bambino non poteva trasformarsi in lupo. Ho guardato verso la collina.

Chissà cosa succedeva nella casa abbandonata. Non sarei andato là sopra per tutto l'oro del mondo.

3.

La mattina mi sono svegliato tranquillo, non avevo fatto sogni brutti. Sono rimasto un po' a letto, a occhi chiusi, ad ascoltare gli uccelli. Poi ho cominciato a rivedere il bambino che si sollevava e allungava le braccia.

- Aiuto! - ho detto.

Che stupido! Per quello si era alzato. Mi chiedeva aiuto e io ero scappato via.

Sono uscito in mutande dalla stanza. Papà stava *avvitando* la macchinetta del caffè. Il padre di Barbara era seduto a tavola.

---

afa, caldo umido e pesante
avvitare, girare per chiudere o stringere

- Buon giorno, - ha detto papà. Non era più arrabbiato.

- Ciao, Michele, - ha detto il padre di Barbara. –
Come stai?

- Bene. 5

Piero Mura era un uomo basso. Per tanti anni aveva
fatto il *barbiere* a Lucignano ma gli affari non erano mai
andati bene e ora faceva il contadino. Ma ad Acqua
Traverse lo continuavano a chiamare il barbiere.

- Forza, vestiti e fai colazione, - mi ha detto papà. – 10
Mamma ti ha lasciato il pane e il latte.

- Dov'è andata?

- A Lucignano. Al mercato.

- Papà, ti devo dire una cosa. Una cosa importante.

Si è messo la giacca. – Me la dici stasera. Adesso sto 15
uscendo.

Dopo aver preparato la colazione a Maria sono sceso in strada.

Il Teschio e gli altri giocavano a calcio sotto il sole.

Togo, un *bastardino* bianco e nero, *rincorreva* la palla 20
e finiva tra le gambe degli altri.

- Vai in *porta*, - mi ha urlato Salvatore.

Mi ci sono messo. A nessuno piaceva fare il *portiere*.
A me sì. Forse perché ero più bravo che con i piedi.

Gli altri invece volevano solo fare gol. 25

Quella mattina ne ho presi tanti. La palla mi sfuggi-
va o arrivavo tardi. Ero *distratto*.

---

barbiere, chi taglia e lava i capelli degli altri
bastardino, un cane che non è di razza
rincorrere, correre dietro a
porta, vedi illustrazione, pag. 42
portiere, vedi illustrazione, pag. 42
distratto, che è senza attenzione

41

La collina mi chiamava. Potevo andare. Papà e mamma non c'erano. Bastava tornare prima di pranzo.

- Non ho voglia di giocare, - ho detto e me ne sono andato.

5   Salvatore mi ha rincorso. – Dove vai?

porta

portiere

Ero scappato e avevo lasciato tutto così.

La lastra buttata da una parte insieme al materasso, il buco scoperto e la corda dentro.

Se i *guardiani* del buco erano venuti, avevano visto
10   che il loro segreto era stato scoperto e me l'avrebbero fatta pagare.

E se non c'era più?

Dovevo farmi coraggio e guardare.

Mi sono affacciato.

15   Era nella coperta.

- Ciao… Ciao… Ciao… Sono quello di ieri. Sono sceso, ti ricordi ?

Nessuna risposta.

- Mi senti? Sei sordo? – Era una domanda stupida. –
20   Stai male? Sei vivo?

Ha piegato il braccio, ha sollevato una mano e ha *bisbigliato* qualche cosa.

---

guardiano, chi guarda, sorveglia qualcuno o qualcosa
bisbigliare, sussurrare, parlare a bassa voce

- Come ? Non ho capito.
- Acqua.
- Acqua? Hai sete?
Ha sollevato il braccio.
- Aspetta.   5
Dove la trovavo l'acqua?
Mi sono ricordato che quando ero entrato dentro per
prendere la corda avevo visto un *bidone* pieno d'acqua.
- Torno subito, - gli ho detto.
Il bidone era mezzo pieno, ma l'acqua era *limpida* e   10
non aveva odore. Sembrava buona.
In un angolo buio c'erano una *pentola* e delle botti-
glie vuote. Ne ho presa una, ho fatto due passi e mi
sono fermato. Sono tornato indietro e ho preso in mano
la pentola.   15

cestino

pentola

Era una pentola bassa e intorno c'erano disegnate
delle mele rosse ed era uguale a quella che avevamo noi
in casa. Questa sembrava più vecchia. L'ho rimessa a
posto. Ho riempito la bottiglia d'acqua e l'ho chiusa, ho
preso il *cestino* e sono uscito fuori.   20
Ho afferrato la corda, ci ho legato il cestino e ci ho
poggiato dentro la bottiglia.
- Te la calo, - ho detto. – Prendila.
Con la coperta addosso ha cercato la bottiglia nel

bidone, contenitore, oggetto che contiene, p.es. acqua
limpido, chiaro, trasparente

43

cestino, l'ha aperta e l'ha versata nel pentolino senza farne cadere neanche un po', poi l'ha rimessa nel cestino e ha dato uno *strattone* alla corda.

Come una cosa che faceva sempre, tutti i giorni. Siccome non me la riprendevo ha dato un secondo strattone e ha *grugnito* qualcosa arrabbiato.

Appena l'ho tirata su, ha abbassato la testa e senza sollevare la testa ha cominciato a bere, a quattro zampe, come un cane. Quando ha finito *si è accoccolato* da una parte e non si è più mosso.

Era tardi.

Allora... Ciao -. Ho coperto il buco e me ne sono andato.

Mentre pedalavo verso Acqua Traverse, pensavo alla pentola che avevo trovato nella casa.

Mi sembrava strano che era uguale alla nostra. Non lo so, forse perché Maria aveva scelto quella tra tante. Come se fosse speciale, più bella, con quelle mele rosse.

Sono arrivato a casa giusto in tempo per il pranzo.

- Tra un paio di giorni viene a stare qui una persona, - ha detto papà. Dovete fare i bravi.

Ho chiesto: - Chi è questa persona?

Si è versato un bicchiere di vino. – È un amico mio.

- Come si chiama? – ha domandato mia sorella.

- Sergio.

Era la prima volta che veniva uno a stare da noi.

A Natale venivano gli zii ma non rimanevano a dormire quasi mai. Non c'era posto. Ho chiesto: - E

---

strattone, movimento violento
grugnire, dire qualcosa in modo poco chiaro
accoccolarsi, piegarsi sulle ginocchia

44

quanto sta?

Papà si è riempito il piatto di nuovo. – Un po'.

Mamma ci ha messo davanti la *fettina* di carne.

Era mercoledì. E il mercoledì era il giorno della fettina.

Dopo mangiato i miei genitori sono andati a riposare. 5

Era il momento adatto per cercare la pentola.

Niente. La pentola con le mele era scomparsa.

Mi sono svegliato durante la notte.

E non per un sogno. Per un rumore.

Sono rimasto così, a occhi chiusi, ad ascoltare. 10

A quel suono si univano gli *ululati* disperati di cani.

Ho guardato fuori dalla finestra.

Gli ululati sapevo da dove venivano.

Dal *canile* del padre del Teschio. Italo Natale aveva costruito dietro la casa una baracca e ci teneva chiusi i 15 cani da caccia. Stavano sempre là dentro, estate e inverno. Quando la mattina il padre del Teschio gli portava da mangiare, *abbaiavano*.

Quella notte, chissà perché, avevano cominciato a ululare tutti insieme. 20

Ho guardato verso la collina.

Papà era lì. Aveva portato la fettina di mia sorella al bambino e per questo aveva fatto finta di partire e per questo aveva una borsa, per nasconderla dentro.

Prima di cena avevo aperto il *frigorifero* e la carne 25 non c'era più.

fettina, piccola fetta, pezzo sottile p.es. di carne
ululato, suono lamentoso
canile, luogo dove si tengono i cani
abbaiare, il 'parlare' del cane
frigorifero, mobile dove si tengono i cibi freddi

- Mamma, dov'è la fettina?

Mi aveva guardato *stupita*. – Ora ti piace la carne?

- Sì.

- Non c'è più. Se l'è mangiata tuo padre.

5   Non era vero. L'aveva presa per il bambino.

Perché il bambino era mio fratello.

Come Nunzio Scardaccione, il fratello maggiore di
Salvatore. Nunzio non era un pazzo cattivo, ma io non
lo potevo guardare. Nunzio si strappava i capelli con le
10   mani e se li mangiava. Alla fine lo avevano portato al
manicomio. Io ero stato felice.

Poteva essere che il bambino nel buco era mio fratello, ed era nato pazzo come Nunzio e papà lo aveva
nascosto lì, per non farci spaventare me e mia sorella.

15   Per non spaventare i bambini di Acqua Traverse.

Forse io e lui eravamo *gemelli*. Eravamo alti uguale e
sembrava che avevamo la stessa età.

Mamma non sapeva che era vivo.

Io sì.

4

20   Mi sono svegliato presto. Sono rimasto a letto mentre il sole cominciava ad accendersi. Poi non ce l'ho fatta più a starmene ad aspettare. Mamma e Maria dormivano ancora. Mi sono alzato, mi sono lavato i denti, ho
riempito la *cartella* con del *formaggio* e sono uscito.

stupito, sorpreso
manicomio, ospedale per malati di mente
gemello, uno di due figli nati insieme
cartella, qui: borsa per la scuola
formaggio, alimento che si ottiene con il latte

46

Avevo deciso che di giorno sulla collina non c'era pericolo, solo di notte succedevano le cose brutte.

Sfrecciavo nella campagna deserta, sulla Scassona, diretto alla casa.

Se trovavo nel buco anche un pezzettino della fetti- 5
na voleva dire che quel bambino era mio fratello.

Ero quasi arrivato quando all'orizzonte è apparso un polverone rosso. Basso. Veloce. Una nuvola che avanzava nel grano. Il polverone che può fare una macchina su una strada di terra cotta dal sole. Già sentivo il motore. 10

Arrivava dalla casa abbandonata. Quella strada portava solo lì.

Ho girato la bicicletta e ho cominciato a pedalare, cercando di allontanarmi il più veloce posssible. Era inutile. Mi giravo e alle mie spalle il polverone cresceva. 15

Nasconditi, mi sono detto. Ho *sterzato* e sono volato nel grano. La macchina era a meno di duecento metri.

La Scassona stava sul bordo della strada. Ho afferrato la ruota davanti e l'ho trascinata accanto a me. Mi sono *appiccicato* a terra. Senza respirare. Chiedendo a 20
Gesù Bambino che non mi vedessero.

Gesù Bambino mi ha accontentato.

Steso tra le piante ho visto *sfilarmi* davanti una 127. La 127 di Felice Natale.

Felice Natale era il fratello maggiore del Teschio. E 25
se il Teschio era cattivo, Felice lo era mille volte di più.

Felice aveva vent'anni. E quando stava ad Acqua Traverse la vita per me e gli altri bambini era un infer-

---

sfrecciare, passare veloce come una freccia
sterzare, cambiare direzione improvvisamente p.es. con una bicicletta
appiccicarsi, attaccarsi fortemente
sfilare, passare davanti

no. Ci picchiava e ci rubava le cose.

Era un povero diavolo. Senza un amico, senza una donna. Uno che se la prendeva con i più piccoli, un'anima in pena. E questo si capiva. Nessuno a vent'anni può vivere ad Acqua Traverse, a meno di fare la fine di Nunzio Scardaccione, lo strappacapelli. Fortuna che ogni tanto se ne andava a Lucignano.

Poi un giorno benedetto, senza dire niente a nessuno, era partito.

Se chiedevi al Teschio dov'era andato suo fratello rispondeva: - Al Nord. A lavorare.

Questo ci bastava e ci avanzava.

Ora invece era *rispuntato* come un'erbaccia. Sulla sua 127 color merda. E scendeva giù dalla casa abbandonata.

Ce l'aveva messo lui il bambino nel buco. Ecco chi ce l'aveva messo.

Nascosto tra gli alberi, ho controllato che nella valletta non ci fosse nessuno.

Quando sono stato sicuro di essere solo, sono uscito dal bosco e sono entrato nella casa. Oltre i pacchi di pasta, le bottigle, la pentola con le mele, per terra c'erano un paio di scatolette di *tonno* aperte. E da parte, un *sacco a pelo* militare.

Felice. Era suo. Me lo vedevo, nel suo sacco, tutto contento, che si mangiava il tonno.

Ho riempito una bottiglia d'acqua, ho preso la corda dallo scatolone e l'ho portata fuori, l'ho legata al brac-

rispuntare, apparire di nuovo
tonno, grosso pesce
sacco a pelo, sacco per dormire

cio della gru, ho *scostato* la lastra e il materasso e ho
guardato di sotto.

Era *raggomitolato* nella coperta.

Non avevo voglia di scendere là dentro, ma dovevo
scoprire se c'erano i resti della fettina di mia sorella. 5
Anche se avevo visto Felice arrivare dalla collina non
riuscivo a togliermi dalla testa che quel bambino pote-
ve essere mio fratello.

Ho tirato fuori il formaggio e gli ho domandato: -
Posso venire? Sono quello dell'acqua. Ti ricordi? Ti ho 10
portato da mangiare. Il formaggio. Se non mi attacchi,
te la do.

Non mi ha risposto.

- Allora, posso scendere? Ti tiro il formaggio. Prendi-
lo -. Gliel'ho lanciato. 15

Gli è caduto vicino.

Una mano nera e rapida lo ha afferrato e lo ha fatto
scomparire. Mentre mangiava le gambe gli *fremevano*.

- Ho anche dell'acqua… Te la porto giù?

Ha fatto un gesto con un braccio. 20

Mi sono calato.

Ho guardato intorno, non c'era *traccia* della fettina.

- Non ti faccio niente. Hai sete? – Gli ho teso la bottiglia. – Bevi, è buona.

Si è messo seduto senza levarsi la coperta. Le gambe 25
magre spuntavano. Una era legata alla catena. Ha tirato fuori un braccio e mi ha strappato la bottiglia e, come

---

scostare, spostare
raggomitolato, tutto piegato su se stesso
fremere, tremare
traccia, segno, resto

il formaggio, è scomparsa sotto la coperta.

Beveva.

Se l'è fatta fuori tutta in venti secondi.

- Come ti chiami? – gli ho chiesto.

5   Si è *riaccucciato* senza rispondere.

- Come si chiama tuo padre?

Ho aspettato *invano*.

- Mio padre si chiama Pino, e il tuo? Pure il tuo si chiama Pino?

10   Sembrava addormentato.

Sono rimasto a guardarlo, poi ho detto: - Felice! Quello lo conosci? L'ho visto. Scendeva giù in macchina… - Non sapevo più che dire. – Vuoi che me ne vado? Se vuoi me ne vado -. Niente. – Va bene, me ne vado -.

15   Ho afferrato la corda. – Ciao, allora…

Ho sentito un respiro, qualcosa è uscito dalla coperta.

Mi sono avvicinato. – Hai parlato?

Ha bisbigliato ancora.

20   - Non capisco. Parla più forte.

Poi gli ho chiesto: - Ieri per caso hai mangiato una fettina di carne?

- Tu non hai paura del signore dei vermi.

- Il signore dei vermi? E chi è?

25   - Il signore dei vermi dice: Ehi! Ora ti mando giù la roba. Prendila e ridammi il secchio. Sennò scendo e ti schiaccio come un verme. Sì, ti schiaccio come un verme. Tu sei l'angelo custode?

- Come?

30   - Sei l'angelo custode?

---

riaccucciare, raggomitolarsi
invano, inutilmente

- Io... Io, no... Io non sono l'angelo...

- Tu sei l'angelo. Hai la stessa voce.

Mi sentivo debole. – Io non sono un angelo... Io sono Michele, Michele Amitrano. Non sono... - ho mormorato e mi sono appoggiato contro la parete e sono scivolato a terra e lui sì è alzato, ha teso le braccia verso di me, poi ha fatto un passo ed è caduto giù, in ginocchio, sotto la coperta, ai miei piedi..

Mi ha toccato un dito sussurrando.

Ho cacciato un urlo.

Parlava troppo piano. – Cosa, cosa hai detto?

- Cosa hai detto? Sono morto! – ha risposto.

- Cosa?

- Cosa? Sono morto? Sono morto? Sono morto. Cosa?

- Parla più forte. Più forte... Ti prego...

Ha urlato. – Sono morto? Sono morto? Sono morto.

Ho cercato la corda e mi sono tirato su.

Ma lui continuava a *strillare*. – Sono morto? Sono morto. Sono morto?

Pedalavo.

E giuravo che mai e poi mai sarei tornato su quella collina.

Come credeva di essere morto?

Nessuno che è vivo può credere di essere morto. Quando uno è morto è morto.

Non era mio gemello e non era neanche mio fratello. E papà non c'entrava niente con lui. La fettina non c'era. La pentola non era la nostra. La nostra, mamma l'aveva buttata via.

| *strillare*, gridare forte

E appena papà tornava gli raccontavo tutto. Come mi aveva insegnato. E lui avrebbe fatto qualcosa.

Ero quasi arrivato alla strada quando mi sono ricordato della lastra. Ero scappato e avevo di nuovo lasciato il buco aperto.

Se Felice tornava su capiva subito che c'era stato qualcuno che aveva *ficcato il naso* dove non doveva ficcarlo. Non potevo farmi *beccare* solo perché avevo paura di un pazzo in un buco. Se Felice scopriva che ero stato io, mi avrebbe trascinato per un orecchio.

Avrei voluto lasciare tutto così, correre a casa e chiudermi in camera mia a leggere i giornalini, ma sono tornato indietro, maledicendomi.

Ho cercato di avvicinarmi il meno possibile al buco, ma non ho potuto fare a meno di guardare.

Era in ginocchio sotto la coperta con il braccio teso, nella stessa posizione in cui lo avevo lasciato.

Mi è venuta voglia di saltare su quella maledetta lastra e spaccarla in mille pezzi e invece l'ho spinta e ci ho coperto il buco.

Quando sono arrivato mamma lavava i piatti.

- Guarda un po' chi è tornato!

Era arrabbiata.

-Si può sapere dove te ne vai? Mi hai fatto morire di paura...Tuo padre l'altro giorno non te le ha date. Ma questa volta le prendi.

Strillavo. – Lasciami! Ti prego! Lasciami!

Si è seduta sul divano, mi ha steso sulle ginocchia, mi

---

ficcare il naso, essere troppo curioso
beccare, prendere, sorprendere

ha abbassato i pantaloni e le mutande, si è buttata indietro i capelli e a cominciato a farmi le *chiappe* rosse.

Mi sono svegliato perché mi scappava la pipì. Mio padre era tornato. Ho sentito la sua voce in cucina.

C'era gente. Discutevano. Papà era molto arrabbiato. 5

Quella sera eravamo andati a dormire subito dopo cena.

Mia sorella dormiva. Mi sono inginocchiato sul letto e mi sono affacciato alla finestra.

Il camion era *posteggiato* accanto a una grande mac- 10 china. Una macchina per ricchi.

Mi scappava, ma per raggiungere il bagno dovevo passare dalla cucina. Con tutte quelle persone mi ver- gognavo, però me la stavo facendo addosso.

Mi sono alzato e mi sono avvicinato alla porta. Ho 15 contato. – Uno, due, tre… Quattro, cinque e sei -. E ho aperto.

Erano seduti a tavola.

Italo Natale, il padre del Teschio. Pietro Mura, il bar- biere. Angela Mura. Felice. Papà. E un vecchio che non 20 avevo mai visto. Doveva essere Sergio, l'amico di papà.

Fumavano. Avevano le facce rosse e stanche e gli occhi piccoli piccoli.

Il tavolo era coperto di bottiglie vuote. Si moriva di caldo. Il televisore era acceso, senza il volume. C'era 25 odore di pomodoro.

Mamma preparava il caffè.

---

chiappa, una delle due parti morbide del sedere
posteggiare, parcheggiare, mettere una macchina in un posto

Ho guardato il vecchio che tirava fuori una sigaretta da un pacchetto di Dunhill.

Ho saputo poi che si chiamava Sergio Materia.

All'epoca aveva sessantasette anni e veniva da
5 Roma, dove era diventato famoso, vent'anni prima, per una *rapina*.

Era *furibondo*. – Fin dall'inizio avete fatto uno sbaglio dietro l'altro -. Parlava strano.

- Su lo avevo detto che non ci dovevamo fidare di
10 voi. Non siete buoni. Voi state a scherzare col fuoco -. Sono un idiota! Me ne sto qua a perdere tempo... Se le cose andavano come dovevano andare, a quest'ora dovevo stare in Brasile e invece sto in questo posto di merda.

15 Papà ha provato a *ribattere*. – Sergio ascolta... Stai tranquillo... Le cose non sono ancora...

Ma il vecchio lo ha *zittito*. – Tu devi stare zitto perché sei peggio degli altri. E lo sai perché? Perché non ti rendi conto. Non sei capace. Sei un *imbecille*.

20 Papà ha cercato di rispondere e poi ha abbassato lo sguardo.

Lo aveva chiamato imbecille.

È stato come se mi avessero *dato una coltellata* in un fianco. Nessuno aveva mai parlato così a papà. Papà era
25 il capo di Acqua Traverse. E invece quel vecchio schifoso, arrivato da chissà dove, lo *insultava* davanti a tutti.

---

rapina, delitto dove una persona con violenza cerca di rubare cose ad altri
furibondo, molto arrabbiato
ribattere, rispondere insistendo
zittire, fare stare zitto qualcuno
imbecille, stupido
dare una coltellata, colpire con un coltello
insultare, offendere

Perché papà non lo cacciava via?

Improvvisamente nessuno ha parlato più.

- Il *telegiornale*! Ecco il telegiornale, - ha detto il padre di Barbara agitandosi sulla sedia. – Incomincia!

Mi sono appicciato sul pavimento. Italo Natale ha preso le sigarette dal tavolo ed è tornato a sedersi sul divano. Ho ricominciato ad avanzare. La porta stava lì, era fatta, c'ero. Cominciavo a *rilassarmi*, quando tutti insieme hanno urlato. – Ecco! Ecco! – Zitti! – State zitti!

Ho allungato il collo oltre il divano e per poco mi è preso un colpo.

Dietro il *giornalista* c'era la foto del bambino.

Il bambino nel buco.

Era biondo. Tutto pulito, tutto bello, sorrideva e tra le mani stringeva un trenino elettrico.

Il giornalista ha *proseguito*. – Continuano le ricerche del piccolo Filippo Carducci, il figlio dell'industriale *lombardo* Giovanni Carducci *rapito* due mesi fa a Pavia. I carabinieri stanno seguendo una nuova *pista* che porterebbe...

Non ho sentito più niente.

Urlavano. Papà e il vecchio si sono alzati in piedi.

Il bambino si chiamava Filippo. Filippo Carducci.

- Trasmettiamo ora un *appello* della signora Luisa Carducci ai *rapitori*.

telegiornale, programma di notizie alla televisione
rilassarsi, sentirsi tranquilli
giornalista, chi scrive su un giornale o lavora in una televisione
proseguire, continuare
lombardo, della regione Lombardia
rapire, portare via con la forza
pista, traccia
appello, preghiera insistente
rapitore, chi rapina una persona

Papà ha fatto con le dita il segno della *forbice*.

- Due orecchie gli tagliamo. Due.

Il vecchio ha aggiunto: - Così impari a parlare alla televisione!

forbice

5   E tutti hanno ricominciato a urlare.

Mi sono infilato in camera, ho chiuso la porta, sono salito sulla finestra e l'ho fatta di sotto.

Erano stati papà e gli altri a prendere il bambino a quella signora della televisione.

10   "Attento, Michele, non devi uscire di notte", mi diceva sempre mamma. "Con il buio esce l'uomo nero e prende i bambini e li vende.

Papà era l'uomo nero.

Di giorno era buono, ma di notte era cattivo. Mam-
15   ma no, però.

Perché non glielo ridavano? Che se ne facevano di un bambino pazzo? La mamma di Filippo stava male, si vedeva. Se lo chiedeva alla televisione voleva dire che le importava molto di suo figlio.

20   E papà gli voleva tagliare pure le orecchie.

5

Il vecchio me lo sono ritrovato nel bagno il mattino dopo.

Ho aperto la porta e stava là che si faceva la barba.

Si è girato verso di me e mi ha squadrato dall'alto in
25   basso. – E tu chi sei?

Mi sono puntato un dito sul petto. – Io?

- Sì, tu.
- Michele… Michele Amitrano.
- Io sono Sergio. Buon giorno.

Ho allungato la mano. – Piacere -. Così a scuola mi 5
avevano insegnato a rispondere.

- Allora esci e chiudi la porta.

Sono corso da mamma. Stava in camera mia e toglie-
va le *lenzuola* dal letto di Maria. L'ho a tirata per il vestito. – Mamma! Mamma, chi è quel vecchio nel bagno? 10

- Lasciami, Michele, che ho da fare. È Sergio, l'amico di tuo padre. Te l'avevo detto che veniva. Rimane
qualche giorno a casa nostra.

- Perché?

Ha sollevato il materasso e lo ha rigirato. – Perché 15
così tuo padre ha deciso.

- E dove dorme?
- Nel letto di tua sorella.
- E lei?
- Sta con noi. 20
- E io?
- Nel tuo letto.
- Che il vecchio dorme nella camera con me?

Mamma ha preso un respiro. – Sí.

- Io non ci dormo. No, io non ci dormo con quello. 25

Sono scappato al torrente e mi sono arrampicato sul
carrubo.

Io con quel vecchio non ci avrei dormito mai. Aveva preso Filippo. E appena mi addormentavo prendeva
pure me. Mi infilava in un sacco e via. 30

---

lenzuolo, stoffa che si mette sul letto e sulla quale si dorme

E poi mi tagliava le orecchie.

Ma si poteva vivere senza orecchie? Non si moriva? Io alle mie orecchie ci tenevo. A Filippo, papà e il vecchio dovevano avergliele già tagliate. Mentre io ero sul
5 mio albero, lui, nel suo buco, non aveva più orecchie.

Dovevo andare. E dovevo raccontargli di sua madre, che gli voleva ancora bene e che lo aveva detto alla televisione, così tutti lo sapevano.

Ma avevo paura, se alla casa ci trovavo papà e il vec-
10 chio?

Se sto attento non mi vedono, mi sono detto.

Ho sentito una voce che cantava.

Ho guardato giù. Barbara Mura trascinava Togo. – La mamma ora ti fa il bagnetto. Sarai tutto pulito. Sei con-
15 tento? Sí, che sei contento -. Ma Togo non sembrava affatto contento. Lo ha spinto sotto acqua.

Si è fermata. – C'è uno a casa tua. Con quella macchina grigia. È un tuo parente?

- No.
20 - Oggi è venuto pure a casa mia.

- Che voleva?

- Parlava con papà. Poi sono partiti. Mi sa che c'era pure tuo padre. Sulla macchinona.

E certo. Andavano a tagliare le orecchie a Filippo.
25 Mi ha domandato: - A te quello là piace?

- No.

- A me nemmeno.

Se n'è andata tirandosi dietro Togo.

Quando sono arrivato al *margine* della valle ero *sfinito*.

margine, bordo, orlo
sfinito, stanco morto

58

Un po' d'ombra e una bevuta d'acqua era quello che ci voleva, mi sono avviato nel boschetto.

Ma c'era qualcosa di diverso dal solito. Mi sono fermato. Si sentiva della musica.

Mi sono precipitato dietro un albero. 5

Parcheggiata davanti alla casa c'era la 127 di Felice. La musica veniva dall'autoradio.

Felice è uscito dalla stalla. Era in *slip*. Ballava e cantava.

Me ne sono andato. 10

Ad Acqua Traverse si giocava a un due tre stella.

Il Teschio, Barbara e Remo erano fermi, sotto il sole, in strane posizioni.

Salvatore, con la testa contro il muro, ha urlato. – Un, due, tre, stellaaa! – 15

Sono passato tra le case pedalando piano. Ero stanco e arrabbiato. Non ero riuscito a dire a Filippo di sua mamma.

Il camion di papà era posteggiato sotto casa, accanto al macchinone grigio del vecchio. 20

Avevo fame. Ero scappato senza fare colazione. Ma non mi andava tanto di salire.

- Ciao, Maria, - le ho detto smontando dalla bicicletta.

Si è messa una mano sulla fronte per ripararsi dal 25 sole. – Papà ti ha cercato... Mamma è arrabbiata.

- Lo so.

- La fai sempre arrabbiare.

- Io vado su.

- Papà ha detto che deve parlare con Sergio e non 30

| *slip*, mutande piccole

59

vuole che stiamo in mezzo.

- Ma io ho fame...

Papà è uscito sul terazzino, mi ha visto e mi ha chiamato. – Michele, vieni qua -. Era in camicia e pantaloncini.

Ho appoggiato la bicicletta contro il muro e ho salito le scale a testa bassa, rassegnato.

Papà si è seduto sull'ultimo *gradino*. – Mettiti qui, vicino a me -. Ha tirato fuori un pacchetto di Nazionali dalla tasca della camicia, ha preso una sigaretta e se l'è accesa.

- Dobbiamo parlare io e te.

Ha cacciato una nuvola di fumo. – Dove te ne vai tutto il giorno, si può sapere?

- Da nessuna parte.

- Non è vero. Da qualche parte vai.

- A fare dei giretti qui intorno.

- Da solo?

- Sì.

- Che c'è? Non ti piace stare con gli amici tuoi?

- No, mi piace. È che mi piace pure stare da solo.

Ha fatto segno di sí con la testa, gli occhi persi nel vuoto. L'ho guardato. Sembrava più vecchio, tra i capelli neri spuntava qualcuno bianco e sembrava che non dormiva da una settimana.

- Hai fatto arrabbiare tua madre.

- Non l'ho fatto apposta.

- Ha detto che non vuoi dormire con Sergio. Non si trattano così gli ospiti. Immagina se tu vai a stare da qualcuno e nessuno vuole dormire con te. Che penseresti?

---

gradino, una scala è composta di gradini

60

- Non m'importerebbe, io vorrei una stanza tutta per me. Come all'albergo.

Gli ho chiesto: - Sergio è il tuo capo? Per questo deve stare da noi?

Mi ha guardato sorpreso. – Come è il mio capo? 5

- Sì, decide lui le cose.

- No, non decide niente. È un mio amico.

Non era vero. Il vecchio non era suo amico, era il suo capo. Io lo sapevo.

Mi ha guardato, ha preso un respiro con il naso e mi 10 ha chiesto: - Che c'è? Non sei contento che sono tornato?

- Sì.

- Di' la verità.

- Sì, sono contento. 15

Mi ha stretto tra le braccia, forte. Mi ha sussurrato in un orecchio: - Stringimi, Michele, stringimi! Fammi sentire quanto sei forte.

L'ho abbracciato più forte che potevo e mi veniva da piangere. Le lacrime mi scendevano e mi si stringe- 20 va la gola.

- Io voglio andare via da Acqua Traverse.

- Che c'è, non ti piace più?

Gli ho ridato il fazzoletto. – Andiamo al Nord.

- Perché te ne vuoi andare? 25

- Non lo so... Non mi piace più stare qua.

Ha guardato lontano. – Ci andremo.

Papà si è rimesso in piedi. – Senti io torno a casa, devo parlare con Sergio. Perché non vai a giocare che tra un po' mangiamo? – Ha aperto la porta e stava per 30 entrare, ma si è fermato. – Mamma ha preparato le *tagliatelle*. Dopo, chiedile scusa.

| *tagliatelle*, forma di pasta lunga

In quel momento è arrivato Felice.

- Felice! – ha urlato papà. – Sali su un attimo.

Felice ha fatto segno di sí.

Ora da Filippo non c'era nessuno.

5

Il pentolino d'acqua era vuoto.

Filippo teneva la testa *avvolta* nella coperta. Non si era neanche accorto che ero sceso nel buco.

Mi sono avvicinato. - Ehi? – Non dava segno di aver-
10 mi sentito. – Ehi? Mi senti?. Mi sono avvicinato di più.
– Mi senti?

Ha sospirato. – Sì.

Allora papà non gli aveva tagliato le orecchie.

- Ti chiami Filippo, vero?

15   - Sì.

Mi ero preparato durante la strada. – Sono venuto a dirti una cosa molto importante. Allora… Tua madre dice che ti vuole bene. E dice che le manchi. Lo ha detto ieri alla televisione. Al telegiornale. Ha detto che
20 non ti devi preoccupare… E che non vuole solo le tue orecchie, ma ti vuole tutto.

Niente.

- Mi hai sentito?

Niente.

25   Ho ripetuto. – Allora… Tua madre dice che ti vuole bene. E dice che le manchi. Lo ha detto ieri alla televisione. Ha detto che non ti devi preoccupare… E che non vuole solo le tue orecchie.

- La mia mamma è morta.

30   - Come è morta?

avvolgere, volgere intorno

62

Da sotto la coperta ha risposto. – La mia mamma è morta.

- Ma che dici? È viva. L'ho vista io, alla televisione…
- No, è morta.

Mi sono messa una mano sul cuore. – Te lo giuro sul-la testa di mia sorella Maria che è viva. L'ho vista ieri notte, era in televisione. Stava bene. È bionda. È magra. È un po' vecchia… È bella, però. Era seduta su una poltrona alta. Grande. Come quella dei re. E dietro c'era un quadro con una nave. È vero o no?

- Sì. Il quadro con la nave… - Parlava piano.
- E hai un trenino elettrico. L'ho visto.
- Non ce l'ho più. Si è rotto. La *tata* l'ha buttato via.
- La tata? Chi è la tata?
- È morta anche lei. Anche Peppino è morto. E papà è morto. E mio fratello è morto. Sono tutti morti e vivono in buchi come questo. E in uno ci sono io. Tut-ti quanti. Il mondo è un posto pieno di buchi dove den-tro ci sono i morti. E anche la luna è una palla tutta pie-na di buchi e dentro ci sono altri morti.

- Non è vero -. Gli ho poggiato una mano sulla schie-na. – Non si vede niente. La luna è normale. E tua madre non è morta. L'ho vista io. Mi devi stare a sentire.

È rimasto un po' zitto, poi mi ha chiesto: - Allora per-ché non viene qui?

- Non lo so.
- Perché non viene a prendermi?
- Non lo so.
- E perché io sto qui?
- Non lo so -. Poi ho detto, così piano che non pote-va sentirmi. – Mio papà ti ci ha messo qua.

---

tata, donna che ha cura di un bambino

63

Mi ha dato un calcio. – Tu non sai niente. Lasciami in pace. Tu non sei l'angelo custode. Tu sei cattivo. Vattene –. E si è messo a piangere.

Non sapevo che fare. – Io non sono cattivo. Io non c'entro niente. Non piangere, per favore.

- Vattene. Vattene via.

- Ascoltami…

- Vai via!

- Io sono venuto fino a qua per te, ho fatto tutta la strada, due volte, e tu mi cacci via. Va bene, io me ne vado, ma se me ne vado non torno più. Mai più. Rimarrai qui, da solo, per sempre e ti taglieranno tutte e due le orecchie –.

Ho afferrato la corda e ho cominciato a risalire. Lo sentivo piangere.

Sono uscito dal buco e gli ho detto: – E non sono il tuo angelo custode!

- Aspetta…

- Che vuoi?

- Rimani…

- No. Hai detto che me ne devo andare e ora me ne vado.

- Ti prego. Rimani.

- No!

- Ti prego. Solo per cinque minuti.

- Va bene. Cinque minuti. Ma se fai il pazzo me ne vado.

- Non lo faccio.

Sono sceso giù. Mi ha toccato un piede.

- Perché non esci da quella coperta? – gli ho domandato.

- Non posso, sono cieco…

- Come sei cieco'

- Gli occhi non si aprono. Voglio aprirli ma rimangono chiusi. Al buio ci vedo. Al buio non sono cieco -.

- Hai sete?

- Sì.

Ho aperto la cartella e ho tirato fuori la bottiglia. – Ecco.

- Vieni -. Ha sollevato la coperta.

- Lì sotto? – Mi faceva un po' schifo. Ma così potevo vedere se aveva ancora le orecchie al loro posto.

Ha cominciato a toccarmi. – Quanti anni hai? – Mi passava le dita sul naso, sulla bocca, sugli occhi.

- Nove. E tu?

- Nove.

- Quando sei nato?

- Il dodici settembre. E tu?

- Il venti novembre.

- Come ti chiami?

- Michele. Michele Amitrano. Tu che classe fai?

- La quarta. E tu?

- La quarta.

- Uguale.

- Uguale.

- Ho sete.

Gli ho dato la bottiglia.

Ha bevuto. – Buona. Vuoi?

Ho bevuto pure io. – Posso alzare un po' la coperta? –

- Poco.

L'ho tirata via quel tanto che bastava a prendere aria e a guardargli la faccia.

Era nera. Sudicia. Le labbra erano nere.

- Posso lavarti la faccia? – gli ho domandato.

Ha allungato il collo, ha sollevato la testa e un sorriso si è aperto sulle labbra. Gli erano diventati tutti i denti neri.

Mi sono tolto la maglietta e l'ho bagnata con l'acqua e ho cominciato a pulirgli sul viso.

Dove passavo rimaneva la pelle bianca.

Quando gli ho bagnato gli occhi ha detto: - Piano,
5 fa male.

- Faccio piano.

Non riuscivo a sciogliere le *croste*. Erano dure e spesse. Ma sapevo che erano come le croste dei cani. Quando gliele stacchi i cani riprendono a vedere. Ho
10 continuato a bagnargliele fino a quando una *palpebra* si è sollevata e subito si è richiusa. Un istante solo, sufficiente perché un raggio di luce gli ferisse l'occhio.

- Aaahhhaa! – ha urlato e ha infilato la testa nella coperta.

15 - Lo vedi? Lo vedi? Non sei cieco! Non sei cieco per niente!

- Non posso tenerli aperti.

- È perché stai sempre al buio. Però ci vedi, vero?

- Sì! Sei piccolo.

20 - Non sono piccolo. Ho nove anni.

- Hai i capelli neri.

- Sì.

Era molto tardi. Dovevo tornare a casa. - Ora però devo andare. Domani torno.

25 Con la testa sotto la coperta ha detto: - Promesso?

- Promesso.

---

crosta, qui: sporco e sangue secco
palpebra, la pelle che copre un occhio

6.

Mi sono alzato e ho guardato in cucina. Mamma *stirava* e ascoltava la radio. Mia sorella giocava a terra. Ho chiuso la porta.

La valigia del vecchio era sotto il letto. L'ho aperta e ho guardato dentro. 5

Vestiti. Una bottiglia di Stock 84. Sigarette. Delle fotografie. La prima era di un ragazzo alto e magro. Sorrideva. Assomigliava al vecchio. C'era pure una foto di sua moglie.

In fondo alla valigia c'era un *asciugamano arrotolato*. 10 L'ho aperto e dentro c'era una *pistola*. Sono rimasto a fissarla. L'ho sollevata. Era pesantissima. Forse era carica. L'ho rimessa a posto.

Cantavano alla radio.

Mamma ballava e intanto stirava e cantava anche 15 lei.

Era di buon *umore*.

Sono uscito dalla mia camera. Lei mi ha sorriso. – Eccolo qua! Quello che non dormiva con gli ospiti… Buon giorno! Vieni a darmi un bacio. Grande, lo voglio. 20 – Allora Sergio non ti ha mangiato questa notte?

- No.
- Ti ha fatto dormire?
- Sì.

Si è alzata e si è tirata giù il vestito. – Ti *scaldo* il latte. 25

---

stirare, togliere le pieghe di un vestito con un ferro caldo
asciugamano, stoffa morbida e spessa per asciugarsi
arrotolare, ridurre a forma di rotolo, avvolgere intorno
pistola, piccola arma per sparare
umore, disposizione dell'animo
scaldare, fare diventare caldo

Le ho chiesto: - E papà dove sta?

- È uscito con Sergio… Ha detto che la prossima settimana ci porta a mare. E andremo pure al ristorante.

Non c'era vento.

5   Sono sceso in strada.

Non c'era nessuno.

Dal capannone venivano dei rumori. Mi sono avvicinato. La 127 di Felice era sollevata e stava tutta piegata da una parte.

10   - Michele! Michele, vieni qua! – ha urlato Felice da sotto la macchina.

Mi sono fermato. – Che vuoi?

- Aiutami.

- Non posso. Devo fare un servizio per mia madre -.

15 Volevo dare la torta alla mamma di Salvatore, saltare sulla Scassona e correre da Filippo.

- Vieni qua. Sono *incastrato*. Non posso muovermi. Si è staccata una ruota mentre stavo sotto. Sto qua da mezz'ora!

20   - Vado a chiamare tuo padre?

Il padre di Felice da giovane era meccanico. E quando Felice *trafficava* con la macchina si arrabbiava da morire.

- Sei scemo? Aiutami.

25   - Che devo fare?

- Prendi il *cric* dentro la macchina e mettilo vicino alla ruota.

incastrarsi, essere bloccato senza possibilità di muoversi
trafficare, qui: lavorare
cric, strumento per sollevare una macchina

68

L'ho messo e ho girato la *manovella*. Lentamente la
macchina si è sollevata.

manovella

- Così. Così, che esco. Bravo!

È scivolato fuori. Si è passato una mano sui capelli. –
Credevo di morirci. Tutta per colpa di quel romano di 5
merda!

- Il vecchio?

- Sì, lo odio. Gli ho detto che non ci posso arrivare
fin lassù con la macchina. Perché non ci va lui con la
sua Mercedes di merda? Perché non ci sta lui? Io non ce 10
la faccio più. – Mi ha afferrato per la maglietta e mi ha
sollevato e mi ha appiccicato il naso in faccia. – Non
raccontare a nessuno quello che ti ho detto, capito? -

La famiglia Scardaccione era la più ricca di Acqua
Traverse. Il padre di Salvatore, l'avvocato Emilio 15
Scardaccione, aveva molti terreni. Tanta gente fatica-
va per lui.

Anche papà, per molti anni, prima di diventare
camionista, era andato a lavorare a stagione per l'avvocato Scardaccione. 20

La signora Scardaccione, la madre di Salvatore, era
una grassona alta un metro e mezzo. Passava la vita in
cucina insieme alla sorella, zia Lucilla.

Se ne stavano tutto il giorno su due poltrone a controllare che Antonia, la cameriera, non sbagliava qual- 25
cosa, non riposava troppo.

Tutto doveva essere in ordine per quando rientrava

69

l'avvocato Scardaccione dalla città. Ma l'avvocato non
rientrava mai. E quando rientrava se ne voleva andare.

Zia Lucilla ha aperto una scatola e ha battuto le
mani. – Guarda che tengo qui. Le *caramelle*! Ti piacciono le caramelle?

- Molto, signora. – Mi sono riempito le tasche.

- Prima di andartene vai a salutare Salvatore. Sta in
camera sua. Mi raccomando però, non rimanere assai
che deve suonare. Oggi ha la lezione.

Sono uscito dalla cucina.

Dovevo andare da Filippo, glielo avevo promesso.
Gli dovevo portare la torta e le caramelle. Ma faceva
caldo. Poteva aspettare. Tanto non gli cambiava niente. E poi avevo voglia di stare un po' con Salvatore.

Ho bussato.
- Chi è?
- Michele.

pianoforte

- Michele? – Mi ha aperto, si è guardato intorno, mi
ha spinto dentro e ha chiuso a chiave.

La camera di Salvatore era grande. Contro una parete c'era un *pianoforte*. In mezzo alla stanza, sul pavimento, c'era il Subbuteo. La Juventus e il Torino.

Mi ha chiesto: - Che ci fai qua?

- Niente. Ho portato una torta. Posso rimanere? Tua

caramella, piccolo dolce duro p.es. di frutta, che si può tenere in bocca
a lungo

madre ha detto che hai lezione…

- Sì, rimani, - ha abbassato il tono della voce, - ma se si accorgono che non suono non mi lasciano in pace -. Ha preso un disco e lo ha messo sul *giradischi*. – Così credono che suono -. E ha aggiunto tutto serio. – È Chopin.

- Chi è Chopin?

- È uno bravo.

Io e Salvatore avevamo la stessa età, però mi sembrava più grande.

- Ti va di fare una partita? – gli ho chiesto.

Il Subbuteo era il mio gioco preferito. Non ero molto bravo, ma mi piaceva da morire. D'inverno con Salvatore passavamo pomeriggi interi a giocare con quei piccoli *calciatori* di plastica.

- Guarda, - mi ha detto, e ha tirato fuori otto scatolette. Ognuna conteneva una squadra di calcio. – Guarda che mi ha regalato papà. Me le ha portate da Roma.

Ogni anno alla mia festa e a Natale chiedevo a papà e a Gesù bambino di regalarmi il Subbuteo, ma non c'era verso. Nessuno dei due mi sentiva. Mi bastava una squadra. Pure di serie B.

Lui ne aveva già quattro. E ora il padre gliene aveva comprate altre otto.

Ho sussurrato. – Me ne regali una?

Salvatore ha cominciato a girare per la stanza. Poi ha detto: - Mi dispiace, io te la darei pure, ma non posso. Se papà sa che te l'ho data si arrabbia.

Non era vero. Quando mai suo padre controllava le squadre. Salvatore era *tirchio*.

---

giradischi, apparecchio per ascoltare dischi
calciatore, chi gioca a calcio, a pallone
tirchio, avaro, chi non dà o non spende niente

- Ho capito.

- Tanto che ti cambia? Ci puoi venire a giocare quando vuoi.

Se avessi avuto qualcosa da scambiare forse una me
la dava. Ma io non avevo niente.

No, una cosa da *scambiare* ce l'avevo.

- Se ti dico un segreto, me ne dài una?

Salvatore mi ha guardato. – Che segreto?

- Un segreto incredibile.

- Non c'è segreto che vale una squadra.

- Il mio sí-. Te lo giuro.

- Non mi interessano i segreti.

- Lo so. Ma questo è bello. Non l'ho detto a nessuno.

Ma ormai ero disposto a tutto. – Mi prendo anche il
Lanerossi Vicenza.

- Sì?

Il Lanerossi Vicenza lo odiavamo. Se ci giocavi perdevi sempre.

- D'accordo. Ma se è un segreto di merda non te la
do.

E così gli ho raccontato tutto. Di quando ero caduto
dall'albero. Del buco. Di Filippo. Di quanto era pazzo.
Della sua gamba malata. Di Felice che lo guardava. Di
papà e del vecchio che gli volevano tagliare le orecchie.
Di sua madre alla televisione.

Tutto.

Provavo una sensazione bellissima.

Mentre parlavo Salvatore stava in silenzio.

Salvatore mi ha chiesto: - E perché lo tengono là
dentro?

- Perché non lo vogliono ridare a sua madre. Vuoi

---

scambiare, dare in cambio

venire a vederlo? Ci possiamo andare subito. Ti va?

Non mi ha risposto. Ha rimesso i calciatori nelle loro scatole.

- Allora ti va?
- Non posso. Viene il maestro.   5
- Ma come? Non vuoi vederlo? Non ti è piaciuto il mio segreto?
- Non molto. Non mi interessano i pazzi nei buchi.
- Me lo dài il Vicenza?

Prenditelo. Tanto mi fa schifo.   10

Mi ha cacciato in mano la scatola e mi ha spinto fuori dalla stanza. E ha chiuso la porta.

Pedalavo verso la collina e non capivo.

Come poteva non fregargli di un bambino incatenato in un buco?   15

Non glielo dovevo dire.

Mi sarebbe piaciuto tornare indietro nel tempo. Avrei dato la torta alla signora Scardaccione e me ne sarei andato via, senza neanche passare da Salvatore.

Ho fatto la salita di corsa.   20

Avevo abbandonato la bicicletta poco prima della salita e l'ultimo pezzo me l'ero fatto a piedi correndo nel grano.

Ho guardato se Felice stava nei *paraggi*. Non c'era nessuno. Sono entrato nella casa, ho preso la corda.   25

Ho spostato la lastra e l'ho chiamato. – Filippo!
- Michele! – Ha cominciato a muoversi tutto.

Mi stava aspettando.
- Sono venuto, hai visto?
- Lo sapevo.   30

| *paraggio*, vicinanza

73

- Lo sapevo io. Lo avevi promesso.

- Vieni? – Mi ha fatto segno di scendere.

Ho afferrato la corda. – Arrivo -.

Avevano fatto pulizie. Filippo era avvolto nella sua
schifosa coperta, solo che lo avevano lavato. E intorno
al piede non aveva più la catena.

- Ti hanno pulito?

Ha sorriso.

- Chi è stato?

Teneva una mano sugli occhi. – Il signore dei vermi
e i suoi *servitori*. Sono scesi e mi hanno lavato tutto. Io
ho detto che potevano fuggire quanto volevano ma tu
potevi inseguirli per diversi chilometri senza stancarti.

- Che gli hai detto il mio nome?

- Gli ho detto che l'angelo custode li avrebbe
acchiappati.

- Ah, bravo! Hai detto che ero l'angelo custode -. Ho
preso la torta dalla tasca. – Guarda che ti ho portato. -

Mi ha strappato quello che rimaneva della torta e se
l'è cacciata tutta in bocca.

Mi ha infilato le mani dovunque. – Ancora! Dam-
mene ancora! –

- Non ce ne ho più. Te lo giuro. Aspetta… -

Nella tasca di dietro avevo le caramelle. – Tieni.
Prendi.

- Ancora! Ancora!

- Ti ho dato tutto.

Non voleva credere che non avevo più niente.

- Domani te ne porto ancora. Cosa vuoi?

- Voglio…voglio… il pane. Il pane con il burro. E il

---

servitore, cameriere
acchiappare, afferrare

74

formaggio. E il cioccolato. Un panino molto grosso.

- Vedo cosa c'è a casa.

Mi sono seduto. Filippo non la smetteva di toccarmi i piedi.

E a un tratto mi è venuta un'idea. Una grande idea. 5
Non aveva la catena. Era libero. Potevo portarlo fuori.
Gli ho chiesto: - Ti va di uscire?

- Uscire dove?

- Uscire fuori.

- Fuori? 10

- Sì, fuori. Fuori dal buco.

È stato zitto e ha chiesto: - Dal buco? Quale buco?

- Questo buco qui. Qui dentro. Dove siamo.

Ha fatto di no con la testa. - Non ci sono buchi.

- Questo non è un buco? 15

- No.

- Ma sì che è un buco e lo hai detto pure tu.

- Quando l'ho detto?

- Hai detto che il mondo è tutto pieno di buchi dove ci stanno i morti. 20

- Ti sbagli. Io non l'ho detto.

Cominciavo a perdere la pazienza. - E dove siamo allora?

- In un posto dove si aspetta.

- E che si aspetta? 25

- Di andare in *paradiso.*

Un po' aveva ragione. Se rimanevi lì dentro tutta la vita, morivi e poi la tua anima volava in paradiso.

- Dài, ti porto fuori. Vieni -. L'ho preso, ma tremava. – Va bene. Va bene. Non usciamo. Stai buono, però. 30
Non ti faccio niente.

| *paradiso,* il luogo dove vanno i morti buoni

Ha infilato la testa nella coperta. – Fuori non c'è aria. Fuori soffoco. Non ci voglio andare.

- Non è vero. Fuori c'è un sacco d'aria. Io sto sempre fuori e non soffoco. Come mai?

5   - Tu sei un angelo.

Dovevo farlo ragionare. – Ascoltami bene. Ieri ti ho giurato che tornavo e sono tornato. Ora ti giuro che se vieni fuori non ti succede niente. Mi devi credere.

- Perché devo andare fuori? Io sto bene qui.

10   Dovevo dirgli una bugia. – Perché fuori c'è il paradiso. E io ti devo portare in paradiso. Io sono un angelo e tu sei morto e io ti devo portare in paradiso.

Ci ha pensato un po'. – Davvero?

- Veramente.

15   - Andiamo, allora -. E ha cominciato a fare dei versi.

Ho provato a metterlo in piedi, ma teneva le gambe piegate. Non si reggeva. Se non lo sostenevo cadeva. Alla fine gli ho legato la corda intorno ai fianchi. Sono risalito e ho cominciato a *issarlo*. Pesava troppo.

20   - Aiutami, Filippo. Non ce la faccio.

Ma la corda mi scivolava dalle mani.

- Michele? – Filippo mi stava chiamando.

- Un momento! Aspetta un momento! – ho urlato. – Ho trovato una scala! – ho detto a Filippo. L'ho presa e

25   l'ho calata nel buco.

L'ho trascinato nel boschetto, sotto un albero. C'erano gli uccelli. L'ombra. E c'era un buon odore di terra.

Gli ho domandato: - Posso levarti la coperta dalla faccia?

30   - C'è il sole?

| *issare*, alzare qualcosa p.es. con una corda

- No.
Non voleva togliersela.
Gli ho chiesto: - Perché ti hanno messo qui?
- Non lo so. Non mi ricordo.
- Niente proprio?   5
- Mi sono trovato qua.
- Che ti ricordi?
- Che ero a scuola. Questo me lo ricordo. E poi sono
uscito fuori. Una macchina bianca si è fermata. E mi
sono trovato qua.   10
- Ma tu dove abiti?
- In via Modigliani 36. All'angolo con Via Cavalier
D'Arpino.
- E dove sta?
- A Pavia.   15
- In Italia?
- Sì.
- Anche qui è Italia.

- Filippo, è tardi. Ti devo portare giù.
- Posso tornare giù davvero?   20
- Sì.
- Va bene. Torniamo.
- Attaccati al mio collo -. Si è *aggrappato* e l'ho tra-
scinato fino al buco.
- Adesso scendiamo la scala, reggiti bene.   25
È stato difficile.
Quando siamo arrivati giù l'ho sistemato in un ango-
lo. L'ho coperto e gli ho dato da bere e gli ho detto:
- È tardissimo. Me ne devo andare. Papà mi ammazza.
- Io sto qua. Ma tu devi portare i panini.   30

| *aggrapparsi*, attaccarsi

77

cappuccio

ciglio   piolo

- Sì.

Mi dispiaceva di lasciarlo. – Io vado allora.

Stavo per aggrapparmi a un *piolo*, quando la scala è
stata tirata via.

5   Ho sollevato lo sguardo.

Sul *ciglio* c'era uno con un *cappuccio* marrone in testa.

Era vestito tale e quale a un soldato.

- Felice!

- Bravo! – ha detto, ed è rimasto un po' in silenzio.

- Come hai fatto a capirlo? Aspetta! Aspetta un attimo. 5

Se n'è andato e quando è riapparso con il *fucile*.

- Eri tu! – Felice batteva le mani. – Eri tu ! Trovavo sempre le cose messe diverse. Prima credevo di essere pazzo. E invece eri tu. Michelino. Meno male, stavo uscendo scemo. 10

Ho sentito stringere la caviglia. Filippo mi si era attaccato ai piedi e bisbigliava.– Il signore dei vermi viene e va. Il signore dei vermi viene e va.

Ecco chi era il signore dei vermi!

Felice mi ha guardato attraverso i buchi del cappuc- 15 cio. – Hai fatto amicizia con il principe?

Ero in *trappola*.

Un coltello si è piantato a terra.

- Potevo farti saltare il ditone del piede come niente. E poi che facevi? 20

Non riuscivo a parlare.

- Che facevi senza un dito? – ha ripetuto. – Dimme-lo un po'?

- Morivo *dissanguato*.

- Bravo. E se invece ti sparo con questo, - mi ha 25 mostrato il fucile, - che ti succede?

- Muoio.

- Vedi che le cose le sai. Vieni su, forza! – Felice ha

---

fucile, arma lunga per andare a caccia, per sparare
trappola, oggetto per catturare animali
dissanguare, perdere sangue

79

preso la scala e l'ha calata giù.

Non volevo, ma non avevo altra scelta. Mi avrebbe sparato. Mi tremavano le gambe.

- Aspetta, aspetta, - ha detto Felice. – Mi prendi il
5 coltello, per piacere?

Mi sono piegato e Filippo ha bisbigliato: - Non torni più?

Ho tirato fuori il coltello dalla terra e senza farmi vedere gli ho risposto sottovoce: - Torno.

10 - Promesso?

Felice mi ha ordinato: - Richiudilo e mettitelo in tasca.

- Promesso.

- Forza, forza! Sali su. Che aspetti?

15 Ho cominciato a salire.

Quando ero quasi fuori, Felice mi ha preso per i pantaloni e con tutte e due le mani mi ha lanciato contro la casa come un sacco. Mi sono *schiantato* sul muro. Ho provato ad alzarmi. Avevo sbattuto sul fianco. Mi sono
20 voltato. Felice si era tolto il cappuccio e avanzava verso di me puntandomi il fucile contro.

Ora mi spara, ho pensato.

Mi ha dato un calcio sul sedere. – Alzati! Che fai là a terra? Alzati! Per caso ti sei fatto male? – Mi ha solle-
25 vato per l'orecchio. – Ringrazia Iddio che sei figlio di tuo padre. Sennò a quest'ora… Ora ti porto a casetta. Deciderà tuo padre la punizione. Io il mio dovere l'ho fatto. Ti dovevo sparare - . Mi ha trascinato nel boschetto. – Muoviti, su!

30 Siamo usciti fuori dagli alberi.

Con il fucile Felice mi ha spinto alla 127 e ha detto.

schiantarsi, rompersi violentemente

80

– Ah già, ridammi il coltello!

- Faccio io! – Me lo ha preso. Ha aperto lo *sportello* e ha detto: - Sali!

Sono entrato e davanti c'era Salvatore.

- Salvatore, che ci...? – Il resto mi è morto in bocca. 5
Era stato Salvatore. Aveva fatto la spia a Felice.

Salvatore mi ha guardato e si è girato dall'altra parte.

Mi sono seduto dietro senza dire una parola.

- Caro Salvatore, sei stato proprio bravo. Qua la mano -. Felice gliel'ha presa. – Avevi ragione. E io che 10 non ti credevo. È sceso. – Le promesse sono promesse. E quando Felice Natale fa una promessa, la mantiene. Guida. Vai piano però.

- Adesso? – ha chiesto Salvatore.

- E quando? Siediti al posto mio? Qui è perfetto per 15 imparare.

Salvatore Scardaccione mi aveva venduto per una lezione di guida.

Salvatore mi aveva tradito.

Aveva ragione mamma quando diceva che gli Scar- 20 daccione si credevano chissà chi solo perché avevano dei soldi. Ma con Salvatore eravamo amici.

Mi ero sbagliato.

Avevo una voglia tremenda di piangere, ma mi sono giurato che se una sola lacrima mi usciva dagli occhi, 25 avrei preso la pistola del vecchio e mi sarei sparato. Ho tirato fuori dai pantaloncini la scatola del Lanerossi Vicenza. Era tutta *molla* di pipí.

---

sportello, qui: porta di una macchina
mollo, molle, molto bagnato

Il camion di papà non c'era. E neanche la macchina del vecchio.

Felice ha parcheggiato la 127 nel capannone.

Salvatore ha preso la bicicletta e se n'è andato senza nemmeno guardarmi.

- Esci fuori!

Non volevo uscire.

- Esci fuori! – mi ha ripetuto Felice.

Mi sono fatto coraggio e sono smontato.

Mi vergognavo. Avevo i pantaloni bagnati.

Dietro di me sentivo i passi pesanti di Felice. Affacciata alla finestra c'era la mamma di Barbara. A un'altra la mamma del Teschio. Mi fissavano.

Ho salito le scale di casa e ho aperto la porta. La radio era accesa. Mamma era seduta al tavolo. Mi ha visto entrare seguito da Felice. – Che è successo?

Felice ha abbassato la testa e ha detto: - Era su. Con il ragazzino.

Mamma si è alzata dalla sedia, ha spento la radio, ha fatto un passo, poi un altro, si è fermata guardandomi.

Sono *scoppiato* a piangere.

padella

Mamma non ha avuto nessuna pietà. Ha preso la *padella* e ha colpito Felice in faccia. Lui è *crollato* a terra.

Mamma ha sollevato di nuovo la padella, lo voleva ammazzare, ma Felice l'ha presa per una caviglia e ha

---

scoppiare, qui: non riuscire a contenersi
crollare, cadere pesantemente

tirato. Mamma è cascata. Felice le sì è buttato sopra con tutto il peso.

Le si era sollevata la *sottoveste*. Si vedeva il sedere e un seno le usciva fuori bianco e grande.

Felice si è fermato e l'ha guardata. 5

Sono sceso dalla sedia e ho cercato di ucciderlo.

In quel momento sono entrati papà e il vecchio.

Papà si è gettato su Felice, lo ha afferrato per un braccio e l'ha tirato via da sopra a mamma.

Felice è *rotolato* sul pavimento e io insieme a lui. 10

Ho battuto forte la testa.

Papà prendeva a calci Felice e il vecchio cercava di trattenere papà che spalancava la bocca e allungava le mani e buttava all'aria le sedie con i piedi.

Mamma mi ha preso e mi ha portato in camera sua, 15 ha chiuso la porta e mi ha steso sul letto. Non riuscivo a smettere di piangere.

Mi stringeva tra le braccia e ripeteva. – Non è niente. Non è niente. Passa. Passa tutto.

Mamma mi ha sussurrato in un orecchio: - Quando 20 diventi grande te ne devi andare da qui e non ci devi tornare mai più.

Era notte.

Mamma non c'era. Maria mi dormiva accanto.

Di là stavano litigando. 25

Era pure arrivato l'avvocato Scardaccione, da Roma. Era la prima volta che veniva a casa nostra.

Quel pomeriggio erano successe cose terribili, così

---

sottoveste, vestito leggero che si porta sotto un vestito
rotolare, girare come una ruota

immense che non ci si poteva nemmeno arrabbiare. Mi avevano lasciato stare.

Non ero agitato. Mi sentivo al sicuro. Mamma ci aveva chiusi dentro la sua camera e non avrebbe permesso a nessuno di entrare.

Sentivo le voci in cucina. Litigavano per una telefonata che dovevano fare e su quello che bisognava dire.

Ho messo la testa sotto il *cuscino*.

Ho aperto gli occhi.

- Michele, svegliati -. Papà stava seduto sul bordo del letto. – Ti devo parlare.

- Felice ti ha trovato da quello. Ha detto che lo volevi liberare.

Mi sono tirato su. – No! Non è vero! Te lo giuro. L'ho tirato fuori, ma l'ho rimesso subito dentro. Non lo volevo liberare. È lui che dice le bugie.

- Quante volte lo hai visto?

- Quattro.

- Se ti vede ti riconosce?

Ci ho pensato. – No. Non ci vede. Tiene sempre la testa sotto la coperta.

- Che ti ha detto?

- Niente. Parla di cose strane. Non si capisce niente.

- E tu che gli hai detto?

- Niente.

Si è alzato. Sembrava se ne volesse andare, poi si è riseduto sul letto. – Ascoltami bene. Non sto scherzando. Se ci torni ti ammazzo. Se torni un'altra volta lì, quelli gli sparano in testa. Per colpa tua.

- Non ci torno più. Te lo giuro.

---

cuscino, sacchetto riempito dove si appoggia la testa

84

Si è preso la testa tra le mani e ha sussurrato. – Che razza di *casino* –. Aveva la voce rotta e non trovava le parole. – Il mondo è sbagliato, Michele.

- Papà mi dici una cosa?

- Che c'è?

- Perché lo avete messo nel buco? Non l'ho capito proprio bene.

- Michele, ora ti parlo come a un uomo. Ascoltami bene. Se torni lì lo uccidono. Lo hanno giurato. Non ci devi tornare più se non vuoi che gli sparano e se vuoi che ce ne andiamo in città. E non devi parlare mai. Hai capito?

- Capito.

7.

Pensavo a Filippo.

Ora come facevo? Gli avevo promesso che tornavo da lui, ma non potevo, avevo giurato a papà che non ci andavo.

Se ci andavo gli sparavano.

Ma perché? Mica lo liberavo, ci parlavo solo. Non facevo niente di male.

Filippo mi aspettava. Era lì, nel buco, e si chiedeva quando tornavo.

Papà mi chiamava dalla strada.

E ora che voleva da me? Ero stato buono, non mi ero mosso di casa. Sono uscito sul terrazzino.

- Vieni qua! Vieni! – Mi ha fatto segno di scendere. Era accanto al camion. C'erano anche mamma, Maria, il Teschio e Barbara.

---

casino, parola volgare per confusione

- Che c'è?

Mamma ha detto: - Scendi, c'è una sorpresa.

Il cuore ha smesso di battermi. Mi sono precipitato giù per le scale. – Dov'è?

- Stai là -. Papà è salito sul camion e ha tirato fuori la sorpresa.

Era una bicicletta tutta rossa.

Mamma ha chiesto ancora: - Che c'è? Non ti piace?

Ho fatto di sí con la testa.

8.

I giorni seguivano uno dopo l'altro, uguali e senza fine.

I grandi non uscivano più nemmeno la sera. Felice non si vedeva più. Papà se ne stava tutto il giorno a letto e parlava solo con il vecchio. Mamma cucinava. Salvatore si era chiuso in casa.

Andavo sulla mia nuova bicicletta. Tutti la volevano provare.

Me ne stavo spesso per conto mio.

Era come se Dio aveva tagliato i capelli a zero al mondo.

Quando stavo in strada avevo l'impressione che tutti osservavano quello che facevo.

Non ci vado, state tranquilli. L'ho giurato.

Ma la collina era là, e mi aspettava.

Ho cominciato a fare la strada che portava alla fattoria di Melichetti. E ogni giorno, senza rendermene conto, ne facevo un pezzettino in più.

Filippo si era scordato di me. Lo sentivo.

Cercavo di chiamarlo con il pensiero.

Filippo? Filippo mi senti?

Non posso venire. Non posso.

Non mi pensava.

Forse era morto. Forse non c'era più.

Un pomeriggio, dopo mangiato, mi sono messo sul 5
letto a leggere. Mi sono addormentato.

Ho sognato.

Mi sono risvegliato e sono uscito e ho preso la Scassona.

Ero davanti al *sentiero* che portava alla casa abbandonata. 10

La collina era lì. Mi sembrava di scorgere due occhi
neri nel grano.

Potevo salire.

Ma la voce di papà mi tratteneva.

Ho girato la bicicletta e mi sono lanciato nel grano, 15
pedalando come un disperato.

9.

Ho fatto il giro della casa.

Il buco era aperto.

Non c'era più la lastra verde e nemmeno il materasso.

Il buco era lì, una bocca nera nella terra scura, e io 20
mi avvicinavo.

Ho chiuso e riaperto gli occhi sperando che qualcosa
cambiasse.

Il buco era ancora lì.

Mi sono avvicinato. 25

Non c'è. Non guardare. Vattene via.

| *sentiero*, stradina stretta di campagna

Mi sono fermato.

Vai. Vai a vedere.

Non ce la faccio.

Fai un passo, mi sono detto. L'ho fatto. Fanne un
altro. L'ho fatto. Bravo. E ho visto l'orlo del buco
davanti ai miei piedi.

Ci sei.

Ora bisognava solo guardarci dentro.

Ho avuto la certezza che lì dentro non c'era più nessuno.

Ho sollevato la testa e ho guardato.

Era così. Non c'era più niente.

Se lo erano portati via. Senza dirmi niente. Senza
avvertirmi.

Se n'era andato e io non lo avevo nemmeno salutato.

Dove stava? Non lo sapevo, ma sapevo che era mio e
che me lo avevano portato via.

Salvatore si è avvicinato, ha guardato dentro e mi ha
fissato. – Io lo so dove sta.

Ho sollevato lentamente il capo. – Dove sta?

– Sta da Melichetti. Giù nella gravina.

– Come lo sai?

– L'ho sentito ieri. Papà parlava con tuo padre e con
quello di Roma. Mi sono messo dietro la porta dello stu-
dio e li ho sentiti. Lo hanno spostato. Lo scambio non
è riuscito, hanno detto. Hanno detto che questo posto
non è più sicuro.

Filippo era finito da Melichetti con i maiali.

Un *rombo assordante* ha spezzato la quiete e ha coperto tutto.

rombo, rumore fortissimo
assordante, molto forte

88

Barbara ha urlato indicando il cielo. – Guardate! Guardate!

Da dietro la collina sono apparsi due *elicotteri* con scritto sui fianchi Carabinieri.

Si sono abbassati su di noi e poi sono volati sopra Acqua Traverse e sono scomparsi all'orizzonte.

elicottero

- Michele!

Mi sono voltato.

Mia sorella era in mutande, fuori dal capannone, con le sue Barbie in mano e con Togo che la seguiva come un'ombra.

Sono corsa da lei. – Maria! Maria! Dove stanno i grandi?

Mi ha risposto tranquilla. – A casa di Salvatore.

- Perché?

Ha indicato il cielo. – Gli elicotteri.

- Sì. Sono passati gli elicotteri, e dopo sono usciti tutti in strada e urlavano e sono andati a casa di Salvatore.

- Perché?

- Non lo so.

Mi sono guardato intorno. Salvatore non c'era più.

- E tu che ci fai qui?

- Mamma ha detto che devo aspettare qui. Mi ha chiesto dov'eri andato.

- E tu che le hai detto?

- Che eri sulla montagna.

10

Urlavano così forte che ci hanno svegliato.

Ci eravamo abituati a tutto. Al rumore, alla voce alta, ai piatti rotti, ma ora urlavano troppo.

- Perché strillano così? – mi ha chiesto Maria stesa sul letto.

- Non lo so.

Si è aperta la porta.

Per un istante la stanza si è illuminata. Ho visto la figura nera di mamma, e dietro il vecchio.

Mamma ha richiuso la porta. – Siete svegli?

- Sì, - le abbiamo risposto.

- Mamma… Mamma… Perché piangi? - Maria è scoppiata a piangere.

Ho detto: - Mamma? Mamma?   5

Ha sollevato la testa e mi ha guardato con gli occhi rossi. – Che c'è?

- È morto, vero?

Mi ha dato uno *schiaffo*. – Nessuno è morto! Capito! Tu sei troppo piccolo…- Ha spalancata la bocca e mi ha   10 stretto al petto.

Ho cominciato a piangere.

Ora piangevamo tutti.

Di là il vecchio urlava.

Mamma l'ha sentito. – Ora basta! – Si è asciugata le   15 lacrime. Ci ha dato due fette di pane. – Mangiate. Non avete fame? Non fa niente -. Ha preso il piatto. .- Mettetevi giù -. Ha spento la luce.

Continuavano a discutere, più piano ora. Sentivo la voce di Felice e del vecchio, ma non capivo niente.   20

Ho afferrato la *maniglia*. Ho aperto uno *spiraglio*.

Felice era in piedi, vicino alla cucina.

Papà stava in piedi e sembrava seguire il discorso tra Felice e il vecchio, ma era da un'altra parte.

- Ascoltatemi, ascoltatemi, ridiamoglielo, - se n'è   25 uscito papà all'improvviso.

Il vecchio lo ha guardato. – Tu sta' buono, che è meglio.

schiaffo, forte colpo dato sul viso con la mano aperta
maniglia, una maniglia serve ad aprire e chiudere una porta
spiraglio, apertura stretta

Felice ha guardato papà, poi si è avvicinato al vecchio. Ha sollevato un braccio e gli ha dato un pugno in bocca.

Il vecchio è caduto a terra.

Mamma piangeva sul divano.

Felice ha fatto due passi verso il vecchio nonostante papà cercasse di trattenerlo.

Il vecchio si è seduto su una sedia. Poi ha sollevato la testa e ha guardato fisso Felice e ha detto con voce ferma: - Se sei un uomo dimostralo, allora. Avevi detto che lo facevi tu -.

- Io non lo faccio! – ha ripetuto Felice. – Io non ci vado in *galera* per te.

Il vecchio si è messo in piedi. – Lo faccio io, allora. Ma sta' tranquillo, che tanto se me ne scendo io, te ne scendi pure tu. Ti porto giù con me. Ci puoi stare sicuro.

- Basta. *Facciamo la conta*. Quanti siamo? Quattro. Alla fine, di tutti quelli che eravamo, siamo rimasti in quattro. I più fessi. Meglio. Chi perde lo ammazza. È tanto facile.

- E si piglia l'*ergastolo*, - ha detto il barbiere.

- Bravo! – Il vecchio batteva le mani. – Vedo che cominciamo a ragionare.

Papà ha preso una scatola di fiammiferi e l'ha mostrata a tutti. – Ecco qua. Facciamo un gioco. Lo conoscete il tocco del soldato?

Ho chiuso la porta.

Conoscevo quel gioco.

galera, carcere
fare la conta, decidere a chi tocca fare una cosa
ergastolo, carcere per tutta la vita

Nel buio ho trovato la maglietta e i pantaloni e me li sono infilati.

Sono sceso a terra.

La strada era come quella notte senza stelle. Le case erano scure e silenziose. Le uniche finestre illuminate erano quelle di casa mia.

Il cielo si era coperto di nuovo.

Dovevo farmi coraggio.

Sono corso dietro casa a prendere la bicicletta.

Volavo sulla vecchia Scassona.

La strada la vedevo appena e quando non la vedevo, me la immaginavo.

Stringevo i denti e contavo le pedalate.

Uno, due tre, respiro...

Uno, due, tre, respiro...

Il segreto era rimanere al centro della strada, ma dovevo essere pronto a tutto.

- Filippo... sto arrivando... Filippo...arrivo... - mi ripetevo.

In lontananza una luce è apparsa nel buio.

La fattoria.

Ero quasi arrivato.

Ho frenato. Il vento non c'era più. L'aria era ferma e calda. Sono sceso dalla bicicletta, e l'ho buttata accanto alla strada.

Dove poteva stare Filippo?

Giù nella gravina, aveva detto Salvatore. C'ero andato un paio di volte d'inverno con papà.

Ho attraversato il campo di corsa. Avevano tagliato il grano. Di giorno mi avrebbero visto, ma ora, senza luna, ero al sicuro.

Mi sono fermato sul bordo della gravina.

Mi sono avvicinato il più possibile alla casa, rimanendo al buio, e mi sono avvicinato alla *porcilaia*.

Mi dovevo *mimetizzare*. Mi sono tolto la maglietta e i pantaloncini. In mutande ho *immerso* le mani nella
5 terra bagnata di *piscia* e mi sono *cosparso* le braccia, le gambe e la faccia di quella *pappa* schifosa.

Mi tremavano le mani e le gambe e a ogni movimento avevo la sensazione di scivolare giú. Quando finalmente ho stretto tra le dita la *roccia* ho ripreso aria.
10 Sono risalito sul bordo della gravina.

Era profonda e si sviluppava a destra e a sinistra per diverse centinaia di metri. Dentro era tutto buchi e alberi.

Filippo poteva essere dovunque.

15 Filippo dove sei? – ho urlato. Ma molto piano. Melichetti mi poteva sentire. – Rispondimi! Dove sei? Rispondimi.

Niente.

Nascosta c'era un'apertura nella roccia. Una bocca
20 larga come la ruota di un camion.

Era nero. Non capivo quanto era profondo.

- Filippo? Filppo, ci sei?

E dal buco è uscito un "Mmmm! Mmmm!"

- Filippo, sei tu?

---

porcilaia, porcile, luogo dove si tengono i maiali, suini
mimetizzare, confondersi con l'ambiente
immergere, mettere dentro
piscia, parola volgare per pipí.
cospargersi, spargersi qualcosa addosso, mettersi p.es. una crema sul corpo
pappa, sostanza liquida molto densa
roccia, qui: parete dura di pietra

- Mmmm!

Era lí!

Ho sentito un peso che mi si scioglieva nel petto, mi sono appoggiato alla roccia e sono scivolato giú. Sono rimasto lí seduto, abbandonato su quel terrapieno. Con il sorriso sulla bocca.

Lo avevo trovato.

Mi veniva da piangere. Mi sono asciugato gli occhi con le mani.

- Mmmm!

Mi sono alzato. – Arrivo. Arrivo subito. Hai visto? Sono venuto, ho mantenuto la promessa. Hai visto?

Una corda. Ne ho trovata una. L'ho legata ad un palo e l'ho gettata nel buco. – Eccomi.

Mi sono calato dentro. Mi mancava l'aria.

Non ho fatto neanche due metri che ho toccato terra. Era pieno di pali, pezzi di legno. Ero nudo e tremavo per il gelo.

- Filippo, dove sei?

- Mmmm!

Gli avevano *tappato* la bocca.

- Sto… - Un piede mi si è infilato tra i rami. Sono scivolato a braccia in avanti. Ho sentito un dolore forte alla caviglia. Ho urlato.

Con le mani che tremavano ho tirato fuori il piede incastrato. Il dolore mi premeva dentro la caviglia. – Dove stai?

- Mmmm!

Mi son trascinato, a denti stretti, e l'ho trovato. Era steso a terra. Nudo. Aveva le braccia e le gambe legate con lo scotch da pacchi.

| *tappare*, chiudere

Mmmm!

Gli ho messo le mani sulla faccia. Anche sulla bocca aveva lo scotch.

-Non puoi parlare. Aspetta, te lo levo. Forse ti faccio un po' male.

Gliel'ho strappato via.

- Come stai?

Non ha detto niente.

- Filippo, come stai, rispondimi? Ti senti male?

Gli ho toccato il petto.

- Ora andiamo via. Andiamo via. Aspetta -. Gli ho liberato prima le mani e poi i piedi.

- Ecco fatto. Andiamo -. Gli ho preso un braccio. Ma il braccio è ricaduto senza forze.

- Mettiti dritto, ti prego. Dobbiamo andare, stanno arrivando -. Cercavo di tirarlo su, ma ricadeva giú. – Io non ti posso portare su. Mi fa male la gamba! Ti prego, Filippo, aiutami… - L'ho preso per le braccia. – Dài! Dài! – L'ho messo seduto, ma appena l'ho lasciato è caduto per terra. – Che devo fare? Non lo capisci che ti sparano se resti qua? Muori così, scemo, brutto scemo! Io sono venuto qui per te, fino a qua, io la promessa l'ho mantenuta e tu… e tu… - Sono scoppiato a piangere. Ti…devi…alzare…stupido…che…non sei altro -. Ci ho riprovato ancora e ancora, ma si è lasciato andare, con il capo tutto piegato. – Alzati! Alzati! – ho urlato, e l'ho preso a pugni.

Non sapevo che fare. Non sei ancora morto, lo capisci? – Sono rimasto cosí, a piangere. – Questo non è il paradiso.

Per un istante ha bisbigliato qualcosa.

Ho avvicinato l'orecchio alla bocca. – Cos'hai detto?

Ha sussurrato. – Non ce la faccio.

- Come non ce la fai?

- Sí che ce la fai. Sí…

Non parlava piú. L'ho abbracciato. Tremavamo di freddo. Non c'era piú niente da fare. Non ce la facevo neanche io. Mi sentivo stanco da morire, la caviglia continuava a battere. Ho chiuso gli occhi, il cuore ha cominciato a rilassarsi e senza volerlo mi sono addormentato.

Ho riaperto gli occhi.

Era buio. Per un secondo ho creduto di essere a casa, nel mio letto.

Erano arrivati.

- Filippo! Filippo, stanno qua! Ti vogliono ammazzare. Alzati.

- Non posso.

- Sí, invece -. Mi sono inginocchiato e con le mani l'ho spinto avanti, tra i rami, fregandomene del male. Mio, suo. Dovevo portarlo fuori da quel buco. Ho continuato a spingere, stringendo i denti, fino sotto la bocca nella roccia.

Le voci erano vicine.

L'ho acchiappato per le braccia. – Ora devi metterti in piedi. Lo devi fare. E basta -. L'ho tirato su, mi si è aggrappato al collo. Si è messo dritto. – hai visto, stupido? Hai visto che ti sei messo in piedi, eh? Ora però devi salire. Io ti spingo da sotto, ma tu ti devi attaccare al buco.

Ha detto: - Senza te non vado.

Lo abbracciavo. – Non fare il cretino. Arrivo subito.

- Tu invece te ne vai, hai capito? – Se lo mollavo crollava a terra. L'ho preso tra le braccia e l'ho spinto verso l'alto. – Prendi la corda, forza.

E l'ho sentito piú leggero. Si era attaccato! Era su

di me. Poggiava i piedi sulle mie spalle.

- Ora ti spingo, ma tu continui a tirarti su con le braccia, capito? Non mollare.

Ho visto la sua piccola testa avvolta dalla luce palli-
da del buco.

- Sei arrivato. Ora tirati fuori.

Ci ha provato. Lo sentivo che si sforzava inutilmen-
te. – Aspetta. Ti aiuto io, - ho detto, afferrandogli per le caviglie. – Ti dò una spinta. Tu buttati -. Ho fatto forza sulle gambe e stringendo i denti l'ho lanciato fuori e l'ho visto sparire.

- Michele! Michele, ce l'ho fatta! Vieni.

- Arrivo. Arrivo subito.

Ho provato ad alzarmi ma la gamba non rispondeva piú. Da terra ho cercato di acchiappare la corda senza riuscirci.

Sentivo le voci sempre piú vicine. Il rumore di passi.

- Michele, vieni?

- Arrivo.

La testa mi girava, ma mi sono messo in ginocchio. Non ce la facevo a tirarmi su.

Ho detto: - Filippo, scappa!

Si è affacciato. – Sali!

- Non ce la faccio. La gamba. Scappa, tu!

Ha fatto no con la testa. – No, non vado -. La luce alle sue spalle era piú forte.

- Scappa. Stanno qui. Scappa.

- No.

- Te ne devi andare. Ti prego! Vattene!

- No.

Ho urlato e implorato. – Vattene! Vattene! Se non te ne vai ti ammazzano, lo vuoi capire?

Si è messo a piangere.

- Vattene. Vattene via. Ti prego. Vattene via... E non ti fermare. Non ti fermare mai. Mai piú... Nasconditi! – Sono caduto a terra.

- Non ce la faccio, - ha detto. – Ho paura.

- No, tu non hai paura. Non hai paura. Non c'è niente da avere paura. Nasconditi.

Ha fatto sí con la testa ed è scomparso.

Da terra ho cominciato a cercare la corda nel buio. L'ho sfiorata, ma l'ho perduta. Ci ho riprovato, ma era troppo in alto.

Attraverso il buco ho visto papà. In una mano teneva una pistola, nell'altra una *pila elettrica*.

Aveva perso.

Come al solito.

La luce mi ha *accecato*. Ho chiuso gli occhi.

- Papà, sono io, sono Miche...

Poi c'è stato il bianco.

Ho aperto gli occhi.

La gamba mi faceva male. Non era la gamba di prima. L'altra.

Ero bagnato. Mi sono toccato la gamba. Una cosa calda mi *impiastricciava* tutto.

Non voglio morire. Non voglio.

Ho aperto gli occhi.

C'era un elicottero.

E c'era papà. Mi teneva tra le braccia. Mi parlava ma non sentivo.

---

pila elettrica, torcia, lampadina portatile
accecare, fare diventare cieco
impiastricciare, sporcare

Luci mi accecavano. Dalle tenebre spuntavano esseri neri e cani. Venivano verso di noi.

Papà piangeva. Una figura scura si è avvicinata. Papà lo ha guardato.

5   Papà, devi scappare.

Papà ha detto: - Non l'ho riconosciuto. Aiutatemi, vi prego, è mio figlio. È ferito. Non l'ho…

Ora era di nuovo buio.

E c'era papà.

E c'ero io. 5

FINE

Domande

Com'è il paese di Michele ?

Che tipo di gioco fanno i ragazzini del paese ?

Com'è composta la banda degli amici di Michele ?

Come si chiama la sorella di Michele ?

Cosa rompe la sorella di Michele ?

Come si chiamano e cosa fanno i genitori di Michele ?

Cosa porta in regalo ai figli il papà di Michele ?

Chi è il signor Melichetti ?

Che succede nella fattoria del signor Melichetti ?

Cosa c'è oltre la collina scoperta dai ragazzini ?

Com'è fatta la casa abbandonata ?

Cosa scopre Michele nella casa abbandonata ?

Chi arriva a casa di Michele ?

Come si chiama l'amico che fa la spia a Michele ?

Cosa vuole in cambio Michele per rivelare il suo segreto ?

Cosa vuole in cambio l'amico per rivelare il segreto di Michele ?

Che cos'è 'il tocco del soldato' ?

Come si chiama la vecchia bicicletta di Michele ?

Come si chiama e dove vive il bambino rapito ?

Dove si rifugia Michele quando scappa ?

Quali sono i cibi citati nel racconto ?

Com'è la mamma di Michele ?

In che ruolo gioca a calcio Michele ?

Che succede al bambino rapito ?

Alla fine cosa accade a Michele ?

Attività

Falso o vero ?

La mama di Michele lavora fuori casa.
Il papà di Michele vive in una città del Sud.
Oltre la collina c'è una casa abbandonata.
Gli amici di Michele fanno le gare a chi arriva primo.
Michele ha tre squadre di calcio Subbuteo.
Salvatore e Michele sono molto amici.
Il Teschio è il più buono dei ragazzini.
Acqua Traverse è un paese sul mare.

Inserisci la preposizione giusta e nella forma giusta nella frase senza guardare il testo del libro:
Da -su – a – in

Mi sono svegliato perché mi scappava la pipì. Mio padre era tornato. Ho sentito la sua voce … cucina.
C'era gente. Discutevano. Papà era molto arrabbiato.
Quella sera eravamo andati a dormire subito dopo cena.
Mia sorella dormiva. Mi sono inginocchiato … letto e mi sono affacciato … finestra.
Il camion era *posteggiato* accanto … una grande macchina. Una macchina per ricchi.
Mi scappava, ma per raggiungere il bagno dovevo passare … cucina. Con tutte quelle persone mi vergognavo, però me la stavo facendo addosso.
Mi sono alzato e mi sono avvicinato … porta. Ho contato. – Uno, due, tre… Quattro, cinque e sei -. E ho aperto.

Inserisci la parola giusta e nella forma giusta nella frase senza guardare il testo del libro:

riempito - rientrava – lezione - che – caramelle – ordine - scatola – sorella - città – signora – giorno – qualcosa -

La … Scardaccione, la madre di Salvatore, era una grassona alta un metro e mezzo. Passava la vita in cucina insieme alla …, zia Lucilla.
Se ne stavano tutto il … su due poltrone a controllare … Antonia, la cameriera, non sbagliava … , non riposava troppo.
Tutto doveva essere in … per quando rientrava l'avvocato Scardaccione dalla …. Ma l'avvocato non … mai. E quando rientrava se ne voleva andare.
Zia Lucilla ha aperto una … e ha battuto le mani. – Guarda che tengo qui. Le *caramelle*! Ti piacciono le …?
- Molto, signora. – Mi sono … le tasche.
 - Prima di andartene vai a salutare Salvatore. Sta in camera sua. Mi raccomando però,
non rimanere assai che deve suonare. Oggi ha la ….

Potete trovare altri esercizi su
www.easyreaders.eu

EASY READERS *Danimarca*

ERNST KLETT SPRACHEN *Germania*

ARCOBALENO *Spagna*

LIBER *Svezia*

PRACTICUM EDUCATIEF BV. *Olanda*

EMC CORP. *Stati Uniti*

EUROPEAN SCHOOLBOOKS PUBLISHING LTD. *Inghilterra*

WYDAWNICTWO LEKTORKLETT *Polonia*

KLETT KIADO KFT. *Ungheria*

ITALIA SHOBO *Giappone*

NÜANS PUBLISHING *Turchìa*

ALLECTO LTD *Estonia*

Opere della letteratura italiana ridotte e semplificate
ad uso degli studenti.
Le strutture e i vocaboli di questa edizione sono tra i più
comuni della lingua italiana.
I vocaboli meno usuali o di più difficile comprensione
vengono spiegati per mezzo di disegni o note.
L'elenco delle opere già pubblicate è stampato all'interno
della copertina.
C'è sempre un EASY READER a Vostra disposizione per una
lettura piacevole e istruttiva.
Gli EASY READERS si trovano anche in tedesco, francese,
inglese, spagnolo e russo.

TITOLI GIÀ PUBBLICATI:

Giovanni Boccaccio: Andreuccio da Perugia (A)

Dario Fo: Gli imbianchini non hanno ricordi (A)

Natalia Ginzburg: Ti ho sposato per allegria (A)

Dacia Maraini: Mio marito/L'altra famiglia (A)

Italo Calvino: Marcovaldo (B)

Achille Campanile: Il segreto e altri racconti (B)

Lara Cardella: Volevo i pantaloni (B)

Piero Chiara: I giovedì della signora Giulia (B)

Collodi: Le avventure di Pinocchio (B)

Giovanni Guareschi: Don Camillo (B)

Ignazio Silone: Vino e pane (B)

Mario Soldati: Cinque novelle (B)

Susanna Tamaro: Va' dove ti porta il cuore (B)

Milena Agus: Mal di Pietre (C)

Niccolò Ammaniti: Io non ho paura (C)

Alessandro Baricco: Seta (C)

Andrea Camilleri: Il cielo rubato (C)

Andrea Camilleri: Io e te (C)

Andrea Camilleri: La moneta di Akragas (C)

Andrea Camilleri: Otto giorni con Montalbano (C)

Andrea Camilleri: Nuove avventure con Montalbano (C)

Carlo Cassola: La ragazza di Bube (C)

Grazia Deledda: L'edera (C)

Carlo Fruttero: Donne informate sui fatti (C)

Carlo Goldoni: La locandiera (C)

Alberto Moravia: Sette racconti (C)

Luigi Pirandello: Novello per un anno (C)

Vitaliano Brancati: Don Giovanni in Sicilia (D)

Per ragioni di diritto d'autore alcuni dei titoli summenzionati non sono in vendita in tutti i paisi. Si prega di consultare il catalogo dell'editore nazionale.